絶叫学級

檻のなかの怨念 編

いしかわえみ・原作/絵
はのまきみ・著

集英社みらい文庫

もくじ

140時《じ》間《かん》目《め》

イケニエ1《ワン》R《ルーム》

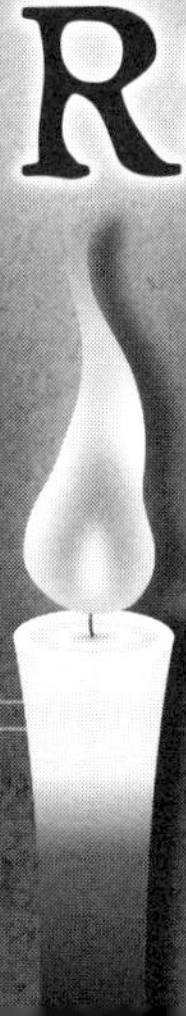

プロローグ

みなさん、こんにちは。
絶叫学級《ぜっきょうがっきゅう》へようこそ。
私《わたし》の名前《なまえ》は黄泉《よみ》。
恐怖《きょうふ》の世界《せかい》の案内人《あんないにん》です。
猫《ねこ》のように金色《きんいろ》に輝《かがや》く瞳《ひとみ》と、腰《こし》までとどく長《なが》い髪《かみ》が私《わたし》の自慢《じまん》。
腰《こし》から下《した》が見《み》えないかもしれませんが、どうかお気《き》になさらず。
それでは授業《じゅぎょう》をはじめましょう！
みなさんは、マッチングアプリを知《し》っていますか？
知《し》らない人同士《ひとどうし》が出会《であ》うためのアプリです。
出会《であ》いのチャンスを広《ひろ》げることもできますが、危険《きけん》ととなりあわせ。

なにしろ、プロフィールに書《か》いてあることが本当《ほんとう》なのかうそなのかわかりません。
注意《ちゅうい》して使《つか》わないと、とりかえしのつかないことになる可能性《かのうせい》が。
今回《こんかい》の授業《じゅぎょう》に登場《とうじょう》する女性《じょせい》は、そのマッチングアプリで、ある人《ひと》と出会《であ》ったようです。
とあるアパートの一室《いっしつ》で起《お》きた、男女《だんじょ》の奇妙《きみょう》なお話《はなし》。
どんな結末《けつまつ》が待《ま》っているのか、
それを知《し》っているのは神《かみ》さまだけです。
ふたりとも、危険《きけん》な目《め》に
あわなければいいのですが……。

『○○区女子大学生連続殺人事件《くじょしだいがくせいれんぞくさつじんじけん》の続報《ぞくほう》です。昨日《きのう》、六人目《にんめ》の被害者《ひがいしゃ》がアパートの一室《いっしつ》で見《み》つかった事件《じけん》で――』

最近《さいきん》、ある事件《じけん》が世間《せけん》をさわがせていた。
すべて同一人物《どういつじんぶつ》による犯行《はんこう》と言《い》われており、まだ犯人《はんにん》はつかまっていない。

ある夜《よる》のこと。
ひとりの青年《せいねん》が、アパートの玄関《げんかん》ドアの前《まえ》に立《た》っていた。
大学生《だいがくせい》くらいだろうか。背《せ》が高《たか》く、デニムジャケットをラフに着《き》こなしている。
整《ととの》った顔立《かおだ》ちをしているが、切《き》れ長《なが》の目《め》のせいか、少《すこ》し冷《つめ》たそうに見《み》える。
青年《せいねん》は、２０４号室《ごうしつ》のドアホンを鳴《な》らした。すると、

「はい」

部屋《へや》のなかから女性《じょせい》の返事《へんじ》が聞《き》こえ、ドアが少《すこ》し開《ひら》く。

青年《せいねん》は、すかさず腕《うで》を差《さ》しこんでドアを押《お》さえ、閉《し》まらないようにしてから言《い》った。

「……………鳥海《とりうみ》、さわさん？」

玄関《げんかん》には、メタルフレームの眼鏡《めがね》をかけた女性《じょせい》が立《た》っていて、青年《せいねん》を見《み》あげている。

背中《せなか》までのびた黒《くろ》い髪《かみ》。化粧《けしょう》っ気《け》のない顔《かお》。毛玉《けだま》のついたジャンパースカート。

おとなしそうで、地味《じみ》な雰囲気《ふんいき》の女性《じょせい》だった。

彼女《かのじょ》は、おびえたように目《め》を見開《みひら》いて、青年《せいねん》を見《み》つめた。

「鳥海《とりうみ》さわさん、でいいんだよね？」

青年《せいねん》がたしかめると、女性《じょせい》はうなずいた。

「……………は、はい」

「初《はじ》めまして。赤黒豹《あかぐろひょう》です」

青年《せいねん》の名《な》は赤黒豹《あかぐろひょう》。

豹《ひょう》が自己紹介《じこしょうかい》したとたん、女性《じょせい》――さわは、「あ！」と口《くち》もとを手《て》で覆《おお》う。

ピンポーーン
○○区女子大生《くじょしだいせい》
連続殺人事件《れんぞくさつじんじけん》の
続報《ぞくほう》です
昨日《きのう》6人目《にんめ》の
被害者《ひがいしゃ》がアパートの
一室《いっしつ》でみつかった
事件《じけん》で――…
ガッ
はい…
…鳥海《とりうみ》
さわさん?
初《はじ》めまして
赤黒豹《あかぐろひょう》です

「マッチングアプリの！」

さわは、真《ま》っ赤《か》な顔《かお》をして、早口《はやくち》で言《い》った。

「もしかしたら私《わたし》、だまされてるんじゃないかなー、約束《やくそく》の時間《じかん》になっても誰《だれ》も来《こ》ないんじゃないかなーって、ずっと思《おも》ってたの。うそっ！　本当《ほんとう》に来《き》てくれたの⁉」

「当《あ》たり前《まえ》じゃん」

豹《ひょう》はにっこり笑《わら》った。笑《わら》うと、ふだんは冷《つめ》たそうに見《み》える顔《かお》が、ちょっぴり幼《おさな》くてやさしそうに変《か》わる。

「そそ、そうだよね、当《あ》たり前《まえ》だよね。ごっ、ごめんね。初《はじ》めて会《あ》うのが家《いえ》なんて。ひきこもりだから。あはは」

さわは、ひきつった笑《わら》いを浮《う》かべ、手《て》をぶんぶんと動《うご》かしながらしゃべる。

どうやら、人見知《ひとみし》りではずかしがり屋《や》らしい。

(こういうおとなしそうな子《こ》も、マッチングアプリなんて使《つか》うんだな)

豹《ひょう》がそんなことを考《かんが》えているとも知《し》らず、さわはうれしそうだった。

「どーぞ、どーぞ。あがって」

ぎくしゃくとした動《うご》きで、豹《ひょう》を部屋《へや》へ招《まね》きいれる。

(ひきこもりね。なるほど)

部屋《へや》のすみに、ゴミの入《はい》った袋《ふくろ》が山積《やまづ》みになって放置《ほうち》されていた。たくさんの雑誌《ざっし》や本《ほん》も、床《ゆか》にちらばっている。

それなのに、テーブルの上《うえ》やキッチンは片《かた》づけられていた。カーテンや布団《ふとん》も清潔《せいけつ》だ。

なんとなく、ちぐはぐな印象《いんしょう》の部屋《へや》だった。

「せまい1R《ワンルーム》だし、おもしろいものもなくて、ごめんね」

「ぜんぜん。あやまらなくていいよ」

部屋《へや》におかれたテレビからは、女子大学生連続殺人事件《じょしだいがくせいれんぞくさつじんじけん》のニュースが流《なが》れている。

『死因《しいん》は、体《からだ》の数十《すうじゅっ》か所《しょ》を鋭利《えいり》な刃物《はもの》で刺《さ》されたことによる失血死《しっけつし》とみられています。依《い》然《ぜん》として犯人《はんにん》の手《て》がかりはつかめておらず――』

豹《ひょう》はおだやかな笑《え》みを浮《う》かべ、やさしい声《こえ》で言《い》った。

「でもあぶないよ」

「え？　なにが？」

床《ゆか》を片《かた》づけていたさわが、振《ふ》りかえった。きょとんとしている。

「なにがって、よく知《し》らない男《おとこ》を、簡単《かんたん》に部屋《へや》に入《い》れちゃ、あぶないでしょ？」

そう言《い》われてやっと気《き》づいたのか、ばつが悪《わる》そうに頭《あたま》をかく。

「あはは っ。本当《ほんとう》だよね〜。これから気《き》をつけます」

「うん。気《き》をつけたほうがいい」

「じゃあ私《わたし》、ごはんの準備《じゅんび》するね」

さわは、はにかんだように笑《わら》うと、キッチンスペースにむかった。

そのうしろ姿《すがた》を見《み》つめながら、豹《ひょう》は心《こころ》のなかでほくそ笑《え》む。

（これからこの子《こ》を殺《ころ》す――――）

そう。

赤黒豹《あかぐろひょう》こそが、女子大学生連続殺人事件《じょしだいがくせいれんぞくさつじんじけん》の犯人《はんにん》。

今回《こんかい》は「赤黒豹《あかぐろひょう》」と名乗《なの》っているが、本当《ほんとう》の名前《なまえ》はちがう。自分《じぶん》の痕跡《こんせき》を残《のこ》さないために、毎回《まいかい》ちがう名前《なまえ》を使《つか》っていた。

（おめでとう。きみは七人目《にんめ》の選《えら》ばれし者《もの》だ）

いままで六回《ろっかい》、成功《せいこう》してきた。きっと今回《こんかい》も成功《せいこう》するだろう。

（この部屋《へや》は神域《しんいき》）

部屋《へや》にさえ入《はい》ってしまえば、なんでも豹《ひょう》の思《おも》いのままにできる。ここではいわば、豹《ひょう》が神《かみ》さまだ。

豹《ひょう》はせまい1R《ワンルーム》をゆっくりとながめた。よくある間取《まど》りだ。

玄関《げんかん》を入《はい》ると右手《みぎて》にキッチンスペース、左手《ひだりて》にバスルームがある。

両開《りょうびら》きの扉《とびら》がついたクローゼットの前《まえ》には、小《ちい》さなローテーブルがおいてある。

カーテンは細《こま》かい花柄《はながら》で、部屋《へや》のすみにはシングルベッドがある。

（ベッドは祭壇《さいだん》）

豹《ひょう》にとってベッドは、血《ち》まみれになった死体《したい》を飾《かざ》る場所《ばしょ》だった。

耳《みみ》を澄《す》ましてみた。サーッと雨《あめ》の音《おと》が聞《き》こえる。

そっとカーテンを開《あ》けると、外《そと》は雨《あめ》が降《ふ》りだしていた。

（ちょうどいい。雨《あめ》の音《おと》で悲鳴《ひめい》も消《き》える）

ここはいま、豹《ひょう》の理想《りそう》にぴったりの空間《くうかん》だった。

（俺《おれ》の生《い》け贄《にえ》になれるなんて、名誉《めいよ》なことだよ）

獲物《えもの》を狩《か》るような目《め》つきで、さわのうしろ姿《すがた》を見《み》つめていると、ふいに、さわが振《ふ》りかえった。

「あ、あの。豹《ひょう》くん」

さっと笑顔《えがお》をつくってこたえる。

「なに？」

「ごはんつくってる間《あいだ》に、シャワー浴《あ》びてきたら？」

はにかんでいるのか、それとも料理《りょうり》をつくっていて暑《あつ》いのか、さわの顔《かお》にはやけに汗《あせ》が浮《う》かんでいた。

（いきなりシャワーを浴《あ》びろだって？　ずいぶん積極的《せっきょくてき》だな）

意外《いがい》すぎておどろいてしまったが、平静《へいせい》をよそおって微笑《ほほえ》む。

「……………シャワー、使《つか》っていいの？」

（奥手《おくて》に見《み》えて、大胆《だいたん》な子《こ》だな）

でも、そういう獲物《えもの》のほうが、ねらい甲斐《がい》がある。

「も、もちろんだよ。使《つか》って。ちょっと待《ま》っててね」

さわは、手《て》にしていた菜箸《さいばし》を調理台《ちょうりだい》においてたんすにむかい、いそいそとバスタオルをだして、豹《ひょう》に渡《わた》す。

「新《あたら》しいバスソルト入《い》れたから。気持《きも》ちいいよ～」

「気《き》がきくね」

「そ、そんなことないよ。えっと、バスルームはそこ。ユニットバスだからせまいんだけど……」

「うん。せまいのなんて気《き》にしないよ。ありがとう」

（これからなにが起《お》きるか知《し》らずに、なんておろかな子《こ》なんだろう）

タオルを受《う》けとり、豹《ひょう》がバスルームに入《はい》ろうとしたとき、玄関《げんかん》のドアが目《め》に入《はい》った。

「……？」

豹《ひょう》は立《た》ちどまり、まじまじとドア横《よこ》の壁《かべ》を見《み》る。

そのあたりの壁《かべ》だけ、なぜかボコボコにへこみ、ひびが入《はい》っているのだ。まるで、なにかをぶつけた跡《あと》のようにも見《み》える。

おとなしそうなさわが壊《こわ》したとは、とても思《おも》えなかった。きっと、初《はじ》めからこの状態《じょうたい》だったのだろう。

(入居前《にゅうきょまえ》に直《なお》してもらえばいいのに)

さわは気《き》が弱《よわ》そうだから、直《なお》してほしいと言《い》いだせなかったのかもしれない。

(まあいい。俺《おれ》には関係《かんけい》ないことだ)

それきり、壁《かべ》のことは忘《わす》れてしまった。

十五分《じゅうごふん》ほどをバスルームですごし、豹《ひょう》が部屋《へや》に戻《もど》ると、すっかり料理《りょうり》ができあがっていた。

ローテーブルの上《うえ》に、ひとり分《ぶん》の食事《しょくじ》が用意《ようい》されている。

「おかずは野菜炒《やさいいた》めとカレイの煮《に》つけ。お口《くち》に合《あ》うといいんだけど……」

「きみは食《た》べないの?」

「私《わたし》はいいの。じつはおなかいっぱいで。緊張《きんちょう》してるのかなぁ。ははは」

豹《ひょう》もまるきり食欲《しょくよく》はなかったが、ここは相手《あいて》の期待《きたい》にこたえたほうがいいだろう。

テーブルの前《まえ》に座《すわ》り、箸《はし》を手《て》にとる。

「おいしそうだね。いただきます」

少《すこ》しだけ煮《に》つけを食《た》べる。

「うん、おいしい」

「よかったー」

となりに座《すわ》ったさわは、頬《ほお》を赤《あか》らめて喜《よろこ》んでいる。

豹《ひょう》は、ちらりとゴミ袋《ぶくろ》の山《やま》に目《め》をやった。

(ひきこもりとは聞《き》いたけど…………あらためて見《み》ると、やっぱりひどいな)

お弁当《べんとう》を食《た》べたあとのプラスチック容器《ようき》、空《から》になったカップ麺《めん》の容器《ようき》、空《あ》き缶《かん》やペットボトル。そういったものが山《やま》ほど捨《す》てられている。

いちおう分別《ぶんべつ》はされているが、とにかく量《りょう》がすごい。

どこかに生《なま》ゴミの袋《ふくろ》もあるらしく、腐《くさ》ったようなにおいもしていた。

(これじゃあ食欲《しょくよく》もわかないはずだ)

床《ゆか》に散乱《さんらん》した本《ほん》は、オカルトやスピリチュアル関連《かんれん》のものが多《おお》い。

（なんだこれ。大丈夫《だいじょうぶ》か、この子《こ》？）

豹《ひょう》は、思《おも》わず手《て》にとって読《よ》みあげた。

「〝この土地《とち》で身《み》を清《きよ》め、そこの恵《めぐ》みを口《くち》にした者《もの》は、神《かみ》の所有物《しょゆうぶつ》になる〟。へえ。こういうの、好《す》きなんだ？」

「えっ！」

秘密《ひみつ》を知《し》られてあせったのか、さわはひざ立《だ》ちになって、否定《ひてい》するように手《て》をぱたぱたと振《ふ》った。

「えっと…………好《す》きっていうか、あはははは」

（神《かみ》の所有物《しょゆうぶつ》…………まさにきみのことだよ）

いま、この部屋《へや》のなかでは、豹《ひょう》が神《かみ》さま。

さわは、豹《ひょう》の所有物《しょゆうぶつ》だ。

「気《き》が合《あ》うね」

豹《ひょう》がぽつりとそう言《い》うと、さわはまた座《すわ》りなおし、困《こま》ったような顔《かお》で微笑《ほほえ》んだ。

「…………？」

豹《ひょう》の言葉《ことば》の意味《いみ》が、よくわからなかったのだろう。しかし、わからないほうが、豹《ひょう》には都合《つごう》がよかった。

(そろそろやるか。生《い》け贄《にえ》の儀式《ぎしき》を)

豹《ひょう》は、ジャケットのポケットに手《て》を入《い》れた。

そこには、鋭《するど》い刃《は》のナイフがひそませてある。

(今日《きょう》の生《い》け贄《にえ》は、きみだよ——)

ナイフをとりだそうとした、ちょうどそのときだった。

ガタッ。

部屋《へや》のどこかで音《おと》がした。

背後《はいご》にあるクローゼットのなかからだ。

豹《ひょう》はとっさに振《ふ》りかえった。さわも同《おな》じように振《ふ》りかえる。

「………誰《だれ》かいるの?」

豹《ひょう》がクローゼットを横目《よこめ》にたずねると、さわは視線《しせん》をそらし、あからさまに体《からだ》をこわばらせた。

「あ…………う、ううん‼　いないよ⁉」

豹《ひょう》から顔《かお》をそむけ、ひざにおいた両手《りょうて》をぎゅっとにぎりしめている。どうも様子《ようす》がおかしい。

（なにかかくしてる？）

思《おも》えば、さわの様子《ようす》は、はじめからなにかおかしかった。

マッチングアプリで知《し》りあった男《おとこ》を、すんなり部屋《へや》に入《い》れたり、やけに積極的《せっきょくてき》だったり。ふつうならもっと警戒《けいかい》するはずだ。

（まさか、俺《おれ》の正体《しょうたい》を…………）

豹《ひょう》が連続殺人犯《れんぞくさつじんはん》だと知《し》った上《うえ》で、わざと部屋《へや》に入《い》れたのだろうか。

なんのために？

豹《ひょう》がいぶかしんでいると、さわが突然《とつぜん》、口《くち》を開《ひら》いた。

「あ、あのっ」

「どうしたの？」

「ごめん。やっぱり帰《かえ》ってくれない？」

さわはうつむいて、くちびるをひきむすんでいる。

「え？」

「本当《ほんとう》にごめんなさいっ」

と、いきおいよく頭《あたま》をさげる。

「どうして？　なにかかくしてるの？」

さわは、見《み》てわかるくらいにうろたえている。

「え………な、なにも………」

しどろもどろだ。ひたいから汗《あせ》がしたたっている。

「そうかな。言《い》わないと、俺《おれ》、帰《かえ》らないよ」

（やっぱりこの女《おんな》、俺《おれ》のこと――）

きっと、罠《わな》にはめようとしているにちがいない。

豹《ひょう》をここに足《あし》どめし、警察《けいさつ》にひきわたすつもりなのかもしれない。そんなことをして、無事《ぶじ》でいられると思《おも》っているのだろうか。

「………じ、じつは、こ、この部屋《へや》――」

ところが、さわの口《くち》から飛《と》びだしたのは、意外《いがい》なひとことだった。

「神《かみ》さまが住《す》んでるの」

豹《ひょう》はあぜんとして、聞《き》きかえした。

「神《かみ》、さま？」

さわは、おびえきった表情《ひょうじょう》で、小《ちい》さくうなずいた。

(なに言《い》ってるんだ、この女《おんな》。正気《しょうき》か？)

本当《ほんとう》に神《かみ》さまが住《す》んでいると信《しん》じているのだろうか。

それとも豹《ひょう》を追《お》いだすための口実《こうじつ》だろうか。

さわは、声《こえ》を震《ふる》わせながら話《はな》しつづけている。

「この家《いえ》に引《ひ》っ越《こ》してから、変《へん》なことがたくさん起《お》きて……………夜《よ》中《なか》に突然《とつぜん》、バスルームの水《みず》がではじめたり…………しかも血《ち》みたいに赤《あか》い水《みず》が」

「それから？」

「…………部《へ》屋《や》のなかを、人影《ひとかげ》のようなものが横切《よこぎ》ることもあるの。夜中《よなか》に気配《けはい》がして起《お》きると、なにかがじいっと私《わたし》のほうを見《み》てることもあった。でも、不動産屋《ふどうさんや》の人《ひと》に聞《き》いても、なにもこたえてくれないの」

引《ひ》っ越《こ》してきたのは、三か月《げつ》ほど前《まえ》。

駅《えき》からはほどよく近《ちか》いし、日当《ひあ》たりもいい。1R《ワンルーム》にしては広々《ひろびろ》としていて、すぐに気《き》に入《い》った。

「思《おも》いかえせば、不動産屋《ふどうさんや》の人《ひと》は、部屋《へや》に一歩《いっぽ》も入《はい》ろうとしなかったなって……。いろいろ調《しら》べたら、この部屋《へや》で何人《なんにん》もおかしくなったり、首《くび》をつって亡《な》くなったりしてるんだって」

（なんだ。いわゆる事故物件《じこぶっけん》じゃないか）

人《ひと》が亡《な》くなった部屋《へや》や、幽霊《ゆうれい》のうわさがたっている部屋《へや》。そういったいわくつきの部屋《へや》は「事故物件《じこぶっけん》」と呼《よ》ばれ、たいてい他《ほか》の物件《ぶっけん》よりも安《やす》い家賃《やちん》で貸《か》される。

ところが、この部屋《へや》は家賃《やちん》も安《やす》くなく、なんの説明《せつめい》も受《う》けなかったらしい。

（あんた、まんまとだまされたんだよ。バカなやつだ）

しかし、豹《ひょう》にとってはおあつらえむきのターゲットだった。

おまけにここは事故物件《じこぶっけん》。

「……………ふ、ははは、ははっ！」

豹《ひょう》はこらえきれずに笑《わら》いだした。

「豹《ひょう》くん？」

さわが心配《しんぱい》そうにのぞきこんできたが、豹《ひょう》の笑《わら》いはとまらなかった。

（なんだ。七人目《にんめ》の殺人舞台《さつじんぶたい》にふさわしいじゃないか）

「ははは…………はぁ」

やっと笑《わら》いの発作《ほっさ》がおちつくと、立《た》ちあがってクローゼットの前《まえ》へすすむ。

「豹《ひょう》くん、なにするつも――」

言《い》いおわる前《まえ》に、豹《ひょう》はクローゼットの扉《とびら》を思《おも》いきり開《ひら》いた。

さわは、クローゼットから顔《かお》をそむけ、「ひっ！」と小《ちい》さな悲鳴《ひめい》をあげる。

まるでそこに、見《み》てはいけないものがあるかのようだった。

豹《ひょう》は、そのなかを見《み》て、顔《かお》をしかめた。

（なんだこれは？）

がらんどうのクローゼットに、しめ縄《なわ》が張《は》られている。

ふつうの人《ひと》ならぎょっとするところだが、殺人犯《さつじんはん》の豹《ひょう》は冷静《れいせい》だ。こんな光景《こうけい》ごときでおどろきはしない。

パタンと扉《とびら》を閉《し》めると、振《ふ》りかえって微笑《ほほえ》む。

「なにもいないよ」

「い、いるよ。だって……」

「このしめ縄《なわ》のこと？　こんなのただの飾《かざ》りさ」

「…………」

よっぽどこわいのか、さわはゴミ袋《ぶくろ》だらけの部屋《へや》のすみに座《すわ》りこみ、クローゼットに背《せ》をむけてブルブル震《ふる》えている。

「きみが思《おも》ってるような神《かみ》なんて、この部屋《へや》にはいない」

豹《ひょう》は、体《からだ》をまるめて震《ふる》えているさわに近《ちか》づき、肩《かた》に手《て》をおいた。

さわはおそるおそる振《ふ》りかえり、豹《ひょう》を見《み》あげる。目《め》に涙《なみだ》をためていた。

「安心《あんしん》して」

やわらかい声《こえ》でなだめ、さわの手《て》をとって立《た》ちあがらせると、そっと体《からだ》を抱《だ》きしめた。

パタン…
何《なに》も いないよ
ブル ブル
君《きみ》が思《おも》ってるような神《かみ》なんて
この部屋《へや》には いない
安心《あんしん》して

「大丈夫《だいじょうぶ》だよ」

「豹《ひょう》く…………」

いまにも涙《なみだ》をこぼしそうなさわを見《み》つめ、やさしく微笑《ほほえ》みかける。

そして、楽《たの》しげに言《い》いはなった。

「だって、神《かみ》は俺《おれ》だから」

「…………え？」

豹《ひょう》の目《め》は、不気味《ぶきみ》にギラギラと輝《かがや》いた。

ナイフを持《も》つ手《て》を振《ふ》りあげ、すばやく振《ふ》りおろす。

ザッ！

さわの胸《むね》をめがけ、思《おも》いきり切《き》りつけた――――つもりだった。

けれど、とっさに身《み》をよじったさわに、よけられてしまった。ナイフの刃《は》は、さわの肩《かた》と左腕《ひだりうで》をかすっただけだ。

「あれ？　はずれた」

豹《ひょう》としたことが、急所《きゅうしょ》をはずしてしまった。

さわは、傷《きず》から血《ち》を流《なが》し、恐怖《きょうふ》に顔《かお》をこわばらせながら、一歩《いっぽ》、一歩《いっぽ》とあとずさっていく。

「あなた……何者《なにもの》……？」

「いまさらなに言《い》ってるんだよ。俺《おれ》が誰《だれ》なのか、もう知《し》ってるんだろう？」

ふたたびナイフを振《ふ》りあげる豹《ひょう》を見《み》て、さわは玄関《げんかん》にむかって走《はし》りだした。

くつも履《は》かずにたたきにでて、ドアを開《あ》ける。けれど、玄関《げんかん》から飛《と》びだした瞬間《しゅんかん》につまずいてしまった。

「あっ！」

前《まえ》のめりになり、正面《しょうめん》にあった外《そと》ろうかの壁《かべ》に、頭《あたま》からつっこむ。さわは外《そと》ろうかに倒《たお》れこみ、気《き》を失《うしな》ってしまった。

玄関《げんかん》にいた豹《ひょう》は、瞳《ひとみ》をギラつかせながら言《い》いすてる。

「だから言《い》ったろ。よく知《し》らない男《おとこ》を、簡単《かんたん》に部屋《へや》に入《い》れちゃだめだって」

あたりは降《ふ》りしきる雨《あめ》の音《おと》以外《いがい》、なにも聞《き》こえない。

「ましてや殺人鬼《さつじんき》なんて」

早《はや》くさわを部屋《へや》にひきずりこみ、仕上《しあ》げを楽《たの》しみたかった。このまま逃《に》げられるわけにはいかない。

「おいで。きみを生《い》け贄《にえ》にするのは俺《おれ》だ」

豹《ひょう》はろうかにむかって手《て》をのばした。

ところが。

トン。

指《ゆび》は透明《とうめい》ななにかにぶつかり、玄関《げんかん》より外《そと》にでていかない。

まるで見《み》えない壁《かべ》にふさがれているかのようだ。

「…………は？」

豹《ひょう》はうすら笑《わら》いを浮《う》かべたまま、手《て》を外《そと》にだそうとする。

しかし、指《ゆび》もてのひらも、ぺたぺたとなにかにふれはするが、外《そと》ろうかへ通《とお》りぬけることができなかった。

イライラしてきて、こぶしで思《おも》いきりたたきまくる。

「なんだこれ！」

やはりこぶしは外《そと》にでていかない。透明《とうめい》ななにかにはばまれている。

「見《み》えない壁《かべ》が…………！」

ナイフをつきたてたり、たたいたりしたが、いっこうに突破《とっぱ》できなかった。

「クソッ！」

豹《ひょう》は怒鳴《どな》り、今度《こんど》は部屋《へや》のなかにあったものを手《て》あたり次第《しだい》に投《な》げはじめた。

食器《しょっき》を投《な》げつけ、テレビを投《な》げつけ、最後《さいご》にはローテーブルを投《な》げつけた。

けれど、ドア横《よこ》の壁《かべ》がボコボコにへこんだだけで、見《み》えない壁《かべ》は壊《こわ》れることがない。

「それなら、窓《まど》は!?」

窓《まど》もだめだった。ガラスは透明《とうめい》ななにかに覆《おお》われ、傷《きず》をつけることすらできない。

完全《かんぜん》に閉《と》じこめられてしまったのだ。

「はぁ……はぁ……ここからでられねぇってのか」

豹《ひょう》が息《いき》をきらして悪態《あくたい》をついていると、ろうかに倒《たお》れていたさわが、ゆっくりと体《からだ》を起《お》こす。意識《いしき》をとりもどしたようだ。

「あなた……あの連続殺人《れんぞくさつじん》の犯人《はんにん》だったんだね…………」

さわはひたいから血《ち》を流《なが》していた。眼鏡《めがね》は割《わ》れ、フレームがろうかに落《お》ちている。

「初対面《しょたいめん》で家《いえ》に来《く》るなんて、変《へん》だと思《おも》った…………」

「は？　最初《さいしょ》から気《き》づいてたんじゃないのかよ」

さわはこめかみを手《て》で押《お》さえる。まだ頭《あたま》がふらつくようだ。

「あなたが殺人犯《さつじんはん》だったなんて、知《し》らなかった。私《わたし》、だまされてたんだね。でも、私《わたし》もうそついてたから、おあいこか…………」

「な…………に？　どういうことだ？」

豹《ひょう》が低《ひく》くうなるようにたずねる。

さわは、ろうかの壁《かべ》につかまりながら、ふらふらと立《た》ちあがった。

「私《わたし》…………ずっとその部屋《へや》からでられなかったんだ。いまのあなたみたいに、でられるものをぶつけて見《み》えない壁《かべ》を壊《こわ》そうとしたが、できなかった。ドア横《よこ》の壁《かべ》にひびが入《はい》っ方法《ほうほう》をできるかぎりためして、だめで…………」


ていたのは、そのせいだ。

水道《すいどう》や電気《でんき》、ガスがとまることはなかった。電話《でんわ》も通《つう》じるし、インターネットやテレビも使《つか》える。

買《か》い物《もの》に行《い》くことはできないが、通販《つうはん》でものを買《か》うことはできた。外《そと》から人《ひと》が入《はい》ってくることはできたからだ。

「でも、ここに来《き》た人《ひと》は、部屋《へや》をでて一分《いっぷん》もたつと、なぜかみんな忘《わす》れちゃうんだ。私《わたし》がここに閉《と》じこめられていることを。両親《りょうしん》や姉《あね》や友《とも》だちに助《たす》けを求《もと》めたけど、電話《でんわ》が終《お》わったとたんにぜんぶ忘《わす》れちゃう」

だから、誰《だれ》かが助《たす》けに来《く》ることもなかった。

外《そと》にでられないせいで、ゴミもどんどんたまっていった。

「本《ほん》をとり寄《よ》せたり、インターネットのオカルトサイトを見《み》たり……いろいろ調《しら》べてやっとわかったの」

「なんだよ。なに言《い》って――」

豹《ひょう》の言葉《ことば》をさえぎるように、さわはつづけた。

「それはね」

身《み》がわりを、この1R《ワンルーム》に閉《と》じこめること。
「今日《きょう》からあなたは、ここの神《かみ》の所有物《しょゆうぶつ》になるのよ」
（そうか、そうだったのか………）
ようやく豹《ひょう》は理解《りかい》した。
クローゼットのしめ縄《なわ》は、本物《ほんもの》だったのだ。
あのなかには、本当《ほんとう》に神《かみ》さまがいたのだ。
床《ゆか》に散乱《さんらん》していた本《ほん》には、こう書《か》いてあった。
『この土地《とち》で身《み》を清《きよ》め、そこの恵《めぐ》みを口《くち》にした者《もの》は、神《かみ》の所有物《しょゆうぶつ》になる』
そして、さわの行動《こうどう》。
『ごはんつくってる間《あいだ》に、シャワー浴《あ》びてきたら？』
豹《ひょう》は言《い》われるがままに、バスルームで身《み》を清《きよ》めてしまった。
『おかずは野菜炒《やさいいた》めとカレイの煮《に》つけ。お口《くち》に合《あ》うといいんだけど………』
食欲《しょくよく》もないのに、おいしいとうそをつきながら食《た》べてしまった。

今日《きょう》からあなたは
ここの神《かみ》の
所有物《しょゆうぶつ》になるのよ
この土地で
身を清め
ごはん作《つく》ってる
間《あいだ》にシャワー
あびてきたら？
そこの恵みを
口にした者は
うん
美味《おい》しい
良《よ》かったー

すべては、豹《ひょう》を生《い》け贄《にえ》にするための儀式《ぎしき》だったのだ。

豹《ひょう》はがくぜんとし、その場《ば》に立《た》ちつくす。

「神《かみ》の所有物《しょゆうぶつ》になる……俺《おれ》が……」

「うん。家族《かぞく》や友《とも》だちを、私《わたし》の身《み》がわりにすることなんてできなかった。宅配《たくはい》してくれる業者《ぎょうしゃ》さんをだますのもいやだった。だからマッチングアプリで、見《み》も知《し》らぬ他人《たにん》を陥《おとしい》れようとしたの」

「俺《おれ》が……」

「そうだよ。豹《ひょう》くんが犯罪者《はんざいしゃ》でよかった。豹《ひょう》くんを身《み》がわりにするなら、私《わたし》も罪悪感《ざいあくかん》を抱《いだ》かなくてすむもの」

さわは豹《ひょう》に背《せ》をむけ、よろよろと歩《ある》きだした。

「……通報《つうほう》はしないでおいてあげる……」

「おい、待《ま》てよ!!」

豹《ひょう》は叫《さけ》び、見《み》えない壁《かべ》をドンドンとたたいた。

しかし、さわは振《ふ》りかえらない。

「ここからだせぇ!!」

豹《ひょう》を無視《むし》して、さわは階段《かいだん》をおりていく。

そのまま、くつも履《は》かずに、雨《あめ》のなかに姿《すがた》を消《け》した。

部屋《へや》のなかに残《のこ》された豹《ひょう》は、くやしさにギリギリと奥歯《おくば》をかむ。

じっとりした汗《あせ》が、首《くび》をつたって落《お》ちていった。

「おちつけ。俺《おれ》もあの女《おんな》と同《おな》じように、誰《だれ》かを呼《よ》べば………」

豹《ひょう》はジャケットのポケットからスマートフォンをとりだし、マッチングアプリをたちあげる。さわと同《おな》じことをすればいいのだ。

そのとき、ふいになにかの気配《けはい》を感《かん》じた。

ギィイイ――――。

クローゼットの扉《とびら》が開《ひら》く音《おと》が、部屋《へや》にひびく。

振《ふ》りかえった豹《ひょう》は、あるものを見《み》た。

しめ縄《なわ》の張《は》られたクローゼットから、なにかがのそりとでてきた。

おそろしい姿《すがた》をしたなにかが。

それは生《い》け贄《にえ》を求《もと》め、ゆっくりと近《ちか》づいてくる。

「や…………やめろ、来《く》るな…………やめてくれぇぇ!!」

豹《ひょう》の叫《さけ》び声《ごえ》は、雨《あめ》の音《おと》にかき消《け》され、誰《だれ》にもとどくことはなかった。

エピローグ

百四十時間目《ひゃくよんじゅうじかんめ》の授業《じゅぎょう》はいかがでしたか。
マッチングアプリで出会《であ》った男女《だんじょ》。
青年《せいねん》のほうには、大《おお》きな秘密《ひみつ》がありました。
そして、女性《じょせい》のほうにもとんでもない秘密《ひみつ》が。
彼《かれ》が踏《ふ》みいれた1R《ワンルーム》は、なんと聖《せい》なる神域《しんいき》でした。
人間《にんげん》にはコントロール不可能《ふかのう》な、神《かみ》の支配《しはい》する場所《ばしょ》。
獲物《えもの》を狩《か》るはずだった青年《せいねん》は、逆《ぎゃく》に狩《か》られるはめになってしまったのです。
神《かみ》への生《い》け贄《にえ》として。
みなさんも、部屋《へや》を選《えら》ぶときはよーく見《み》てくださいね。
謎《なぞ》のお札《ふだ》があったり。

奇妙《きみょう》な場所《ばしょ》にしめ縄《なわ》が張《は》られていたり。
そんな部屋《へや》は要注意《ようちゅうい》です。
もしかしたら神《かみ》さまが住《す》んでいるかも…………？
それから、知《し》らない人《ひと》の部屋《へや》に簡単《かんたん》に入《はい》ってはいけませんよ。
くれぐれもご注意《ちゅうい》を。

141時《じ》間《かん》目《め》

家《か》族《ぞく》

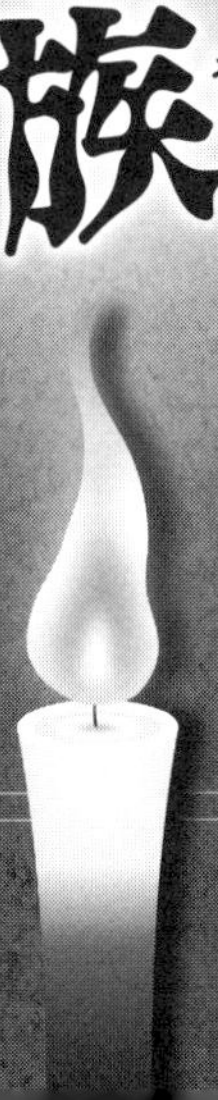

プロローグ

こんにちは。

となりの席《せき》の人《ひと》は来《き》ていますか。

全員《ぜんいん》そろっているようなので、恐怖《きょうふ》の授業《じゅぎょう》をはじめましょう。

みなさんは、大人《おとな》に叱《しか》られたことがありますか？

親《おや》、先生《せんせい》、スポーツスクールのコーチ。

小《ちい》さなことでもねちねち叱《しか》るタイプの人《ひと》もいれば、本当《ほんとう》にひどいことをしたときだけガツンと叱《しか》るタイプの人《ひと》もいます。

では逆《ぎゃく》に、ぜんぜん叱《しか》られたことのない人《ひと》はいますか？

ふふふ。あまり手《て》があがらないみたい。

今回《こんかい》の授業《じゅぎょう》に登場《とうじょう》する少年《しょうねん》は、なんと、ほとんど叱《しか》られたことがありません。

聖母《せいぼ》のような母親《ははおや》は、少年《しょうねん》がなにをやっても叱《しか》らないのです。
うらやましい、ですって？
叱《しか》られない少年《しょうねん》が本当《ほんとう》に幸《しあわ》せかどうか。
ページをめくって、ぜひたしかめてみてください。

五年《ねん》三組《くみ》の教室《きょうしつ》は、今日《きょう》も騒々《そうぞう》しい。

岡田涼真《おかだりょうま》は、自分《じぶん》の席《せき》について、みんなの会話《かいわ》を聞《き》いていた。

「昨日《きのう》ゲームしてたら、ママにすごい怒《おこ》られた〜」

左《ひだり》うしろの席《せき》の女子《じょし》が、そうなげいている。

(ふうん。お気《き》の毒《どく》に)

涼真《りょうま》は机《つくえ》に頬《ほお》づえをつき、心《こころ》のなかでへらへらと笑《わら》った。

涼真《りょうま》の母親《ははおや》なら、そんなことでは絶対《ぜったい》に叱《しか》らない。

「俺《おれ》も、夕飯《ゆうはん》食《た》べられなくなるから、菓子《かし》食《く》うなって」

右《みぎ》うしろの席《せき》の子《こ》の声《こえ》が聞《き》こえてきた。

(へえ。他《ほか》の家《いえ》だと、いちいちそんなこと言《い》われるんだ)

クラスメイトたちは、グチを言《い》いあってため息《いき》をついた。

「本当《ほんとう》、うるさいよな、親《おや》って！」

「だよなー。いつも怒《おこ》ってばっかりでさー」

(みんなかわいそうに)

涼真《りょうま》はつくづくこう思《おも》う。


僕《ぼく》は世界一《せかいいち》、幸《しあわ》せな子《こ》どもにちがいない。

なぜかって？

それは――。


放課後《ほうかご》になると、涼真《りょうま》はいつもわき目《め》もふらずに教室《きょうしつ》を飛《と》びだす。

校門《こうもん》をでたところで、母親《ははおや》の呼《よ》ぶ声《こえ》がした。

「涼真《りょうま》ちゃ〜〜ん」

振《ふ》りかえると、道《みち》のわきに家《いえ》の車《くるま》が停《と》まっている。母親《ははおや》がむかえに来《き》ているのだ。

昨日《きのう》ゲームしてたらママにすごい怒《おこ》られた〜
5年3組
俺《おれ》も夕飯《ゆうはん》食《た》べられなくなるから菓子《かし》食《く》うなって
本当《ほんとう》うるさいよな親《おや》って！
希望
希望
皆《みんな》かわいそうに
僕《ぼく》は世界一《せかいいち》幸《しあわ》せな子供《こども》に違《ちが》いない
岡田

「おつかれさま」

母親《ははおや》は、運転席《うんてんせき》の窓《まど》を開《あ》け、涼真《りょうま》に笑《わら》いかける。

(僕《ぼく》の自慢《じまん》のママだ)

とても美《うつく》しくて、聡明《そうめい》で、やさしい母親《ははおや》。

おまけに声《こえ》もソプラノ歌手《かしゅ》のようにきれいだ。

「涼真《りょうま》ちゃん、えらいわねぇ。毎日学校《まいにちがっこう》に行《い》って」

「うん！」

ほめられた涼真《りょうま》は、キラキラと目《め》を輝《かがや》かせ、助手席《じょしゅせき》にのりこんだ。

「涼真《りょうま》ちゃん、今日《きょう》は体育《たいいく》の授業《じゅぎょう》があったでしょう？　つかれているかと思《おも》って、むかえに来《き》たのよ」

「よかった。家《いえ》まで歩《ある》くの面倒《めんどう》だなって思《おも》ってたところ」

ちょうどそのとき、車《くるま》の横《よこ》を、クラスの男子《だんし》ふたりが通《とお》りすぎた。涼真《りょうま》たちを見《み》てなにか言《い》っている。

「またおむかえかよ、岡田《おかだ》んち」

「超過保護《ちょうかほご》じゃね？　あいつんち金持《かねも》ちだったっけ？」

「ふつうだろ。家《いえ》もふつうのマンションだったよ」

「あれじゃや、絶対《ぜったい》ろくな大人《おとな》になんないよね～」

全部聞《ぜんぶき》こえていたけれど、涼真《りょうま》は気《き》にしなかった。

（あいつら、自分《じぶん》はむかえに来《き》てもらったことがないからって、あんなこと言《い》ってら）

車《くるま》が走《はし》りだし、さっき悪口《わるぐち》を言《い》っていたクラスメイトを追《お》いこしていく。

涼真《りょうま》は、フンと鼻《はな》で笑《わら》って言《い》った。

「いやになっちゃうよね。みんな、僕《ぼく》のことがうらやましいんだ」

「そうね。涼真《りょうま》ちゃんは素晴《すば》らしい子《こ》だから」

「うん」

涼真《りょうま》が世界一幸《せかいいちしあわ》せな子《こ》どもである理由《りゆう》は、これだった。

母親《ははおや》は、涼真《りょうま》のやることなら、全部《ぜんぶ》ほめてくれるのだ。

ほしいものはなんでも買《か》ってくれる。だめだと言《い》われたことがない。

まゆ毛《げ》の上《うえ》でぱっつんと切《き》った前髪《まえがみ》も、「涼真《りょうま》ちゃんにとても似合《にあ》っていて、すてきだわ」といつもほめてくれる。

誰《だれ》にも邪魔《じゃま》されない、母親《ははおや》とのふたり暮《ぐ》らしは、とても快適《かいてき》だった。


その日《ひ》も、家《いえ》に帰《かえ》るとすぐにお菓子《かし》をだしてもらった。

「ママ。チョコとポテトチップス、あったよね」

「もちろんよ」

「ポテトチップスはコンソメ味《あじ》ね。あとチーズ味《あじ》スナックも」

「はい、どうぞ」

母親《ははおや》が持《も》ってきたお菓子《かし》の袋《ふくろ》を全部《ぜんぶ》開《あ》けて、リビングのソファに寝転《ねころ》がる。手《て》にしているのは最新《さいしん》のゲーム機《き》と、いま人気《にんき》のゲームソフトだ。

「このゲーム、シューティングのところがむずかしいんだよな」

夢中《むちゅう》で遊《あそ》んでいるうちに、まわりは食《く》いちらかしたお菓子《かし》のクズだらけになった。

「死《し》ね！　死《し》ね！　レベルアップだ！」

涼真《りょうま》は、じつはあまりゲームが得意《とくい》ではない。ガチャガチャとボタンを押《お》しまくっていたけれど、やがてゲームオーバーになった。

「あーあ。こっちが死《し》んだ」

すると、エプロンをつけた母親《ははおや》が呼《よ》びに来《く》る。

「涼真《りょうま》ちゃん、お夕食《ゆうしょく》ができたわよ」

「夕飯《ゆうはん》？　お菓子《かし》でおなかいっぱいになっちゃったよ」

「オムライスとか、ハンバーグとか、涼真《りょうま》ちゃんの好《す》きなもの、たくさんつくったのよ。見《み》たら食《た》べたくなっちゃうんじゃないかしら」

「う～ん」

涼真《りょうま》はポテトチップスとチーズ味《あじ》スナックの袋《ふくろ》を持《も》ったまま、ダイニングルームにむかう。

料理《りょうり》がたくさんならんだテーブルにつくが、やっぱり夕飯《ゆうはん》を食《た》べる気分《きぶん》にならなかった。

（ママの料理《りょうり》が世界一《せかいいち》おいしいことは知《し》ってるんだ。でも………）

「ムリムリ、夕飯《ゆうはん》はもう入《はい》んないよ。いまはお菓子《かし》のほうがいいや」

涼真《りょうま》は、ポテトチップスを口《くち》いっぱいに頬張《ほおば》る。

母親《ははおや》は「あら」と首《くび》をかしげ、にこにこと笑《わら》った。

「いい食《た》べっぷり！　お菓子会社《かしがいしゃ》からＣＭ《シーエム》のオファーが来《き》ちゃうかもしれないわね」

「うん！」

(ほらね。僕《ぼく》のママは最高《さいこう》)

涼真《りょうま》の母親《ははおや》は怒《おこ》らない。

せっかく用意《ようい》した料理《りょうり》を食《た》べなくても、文句《もんく》を言《い》ったりしない。

勉強《べんきょう》なんてしなくても、涼真《りょうま》を叱《しか》ったりしない。そのかわり、

「涼真《りょうま》ちゃんは選《えら》ばれた人間《にんげん》だから、努力《どりょく》なんていらないわ」

と言《い》ってくれる。

歯《は》をみがかなくても、

「涼真《りょうま》ちゃんのお口《くち》はすごいから、バイ菌《きん》もやっつけちゃうのよね」

と、微笑《ほほえ》んでくれる。

部屋《へや》の片《かた》づけは、かわりにやってくれる。

友《とも》だちとケンカをしても、かわりにあやまってくれる。

物心《ものごころ》がついたときから、ずっとこうだった。

(ママは僕《ぼく》がなにしたってほめてくれる。聖母《せいぼ》なのだ)

「聖母《せいぼ》」というのは、イエス・キリストの母《はは》のことらしい。

ずっと前《まえ》にテレビで、聖母《せいぼ》マリアの絵《え》を見《み》たことがあった。ラファエロという昔《むかし》の有名《ゆうめい》な画家《がか》が描《か》いた絵《え》なのだそうだ。

その絵《え》を見《み》たとき、真《ま》っ先《さき》に思《おも》ったのが、「ママに似《に》てる!」ということだった。

美《うつく》しくて、聡明《そうめい》で、やさしくて、なんでもほめてくれる聖母《せいぼ》。

それが涼真《りょうま》の母親《ははおや》だ。

(でも、ひとつだけほめてくれないことがある)

それは、家《いえ》にかかってきた電話《でんわ》にでること。

この間《あいだ》の日曜日《にちようび》の午後《ごご》もそうだ。

涼真《りょうま》がお菓子《かし》を食《た》べながらタブレットで動画《どうが》を見《み》ていると、電話《でんわ》が鳴《な》った。

(うるさいな。そのうち切《き》れるだろ)

そう思《おも》って放《ほう》っておいたが、電話《でんわ》はいっこうに鳴《な》りやまない。

仕方《しかた》なく、涼真《りょうま》はお菓子《かし》の油《あぶら》でベタベタになった手《て》をぺろりとなめ、立《た》ちあがった。

「でちゃだめって言《い》われてるけど……」

受話器《じゅわき》を少《すこ》し持《も》ちあげた瞬間《しゅんかん》——涼真《りょうま》の手《て》を、母親《ははおや》の手《て》が押《お》さえた。

いつの間《ま》に来《き》たのだろう。背後《はいご》にいた母親《ははおや》に、ガチャン、と受話器《じゅわき》を戻《もど》されてしまったのだ。

「ママ？」

振《ふ》りかえると、母親《ははおや》はにこやかに目《め》を細《ほそ》めて言《い》った。

「電話《でんわ》にでちゃだめよ」

「はーい」

「こんな元気《げんき》なお返事《へんじ》をしてもらえるなんて、ママはラッキーだわ。今日《きょう》はいいことがありそうね」

ほめられた涼真《りょうま》は、機嫌《きげん》よくその場《ば》をはなれた。

そのあとも、何度《なんど》か電話《でんわ》は鳴《な》ったけれど、もう受話器《じゅわき》を手《て》にとることはしなかった。電話《でんわ》の近《ちか》くに行《い》くことさえせずに、無視《むし》をきめこんだ。

ガチャ
電話《でんわ》に出《で》ちゃ駄目《だめ》よ
はーい
たっ
何《なん》でだろ
まあ別《べつ》にどうでも良《い》いけど
プルルル
プルルル…

（なんでだろ。どうして電話《でんわ》にでちゃいけないんだろ）

理由《りゆう》を聞《き》いたことはなかったし、聞《き》こうと思《おも》ったこともない。

（まあ別《べつ》にどうでもいいけど）

涼真《りょうま》には関係《かんけい》のないことだ。


それからしばらくたったある日《ひ》のことだ。

朝《あさ》の会《かい》で、クラス全員《ぜんいん》に「授業参観《じゅぎょうさんかん》のお知《し》らせ」というプリントが配《くば》られた。

それを見《み》るやいなや、教室《きょうしつ》がザワザワしはじめる。

「きたよー。授業参観《じゅぎょうさんかん》！」

「うぇー。やだなー」

「手《て》あげろって絶対《ぜったい》に言《い》われるよ」

担任《たんにん》の先生《せんせい》が、みんなに言《い》う。

「はい、静《しず》かにしてー。プリントは、絶対《ぜったい》に保護者《ほごしゃ》に見《み》せること。ランドセルのなかに入《い》れっぱなしになんてしちゃだめだぞー」

教室《きょうしつ》のあちこちからあがった「はーい」という返事《へんじ》のなかに「いやでーす」もまじり、笑《わら》い声《ごえ》がひびく。

涼真《りょうま》は配《くば》られたプリントをながめ、授業参観《じゅぎょうさんかん》の妄想《もうそう》をした。

『この問題《もんだい》がわかる人《ひと》〜』

『はい、はい、は〜い』

『それじゃあ、岡田《おかだ》くん』

『こたえは、緯度《いど》と経度《けいど》です！』

『正解《せいかい》！　みなさん、岡田《おかだ》くんに拍手《はくしゅ》〜〜！』

と、自分《じぶん》にとことん都合《つごう》のいい展開《てんかい》を思《おも》いうかべる。「緯度《いど》と経度《けいど》」は、さっき授業《じゅぎょう》で聞《き》いたばかりの言葉《ことば》だ。どういう意味《いみ》だったかは忘《わす》れてしまったけれど。

(家《いえ》に帰《かえ》ってから、僕《ぼく》のことをたくさんほめられるからママは授業参観《じゅぎょうさんかん》が大好《だいす》きなんだよな)

きっと母親《ははおや》は、教室《きょうしつ》のうしろで、いつものやさしい微笑《ほほえ》みを浮《う》かべて、涼真《りょうま》を見守《みまも》るはず。

そして、家《いえ》に帰《かえ》ると、こんなふうにほめちぎるにちがいない。

『涼真《りょうま》ちゃん、はきはきとこたえられてえらいわね〜。さすがね〜』

「むふっ、フフフ……」

涼真《りょうま》は思《おも》わずニヤニヤ笑《わら》った。

となりの席《せき》の女子《じょし》が、ぞっとした顔《かお》でひいていたが、そんなことは気《き》にもとめず鼻息《はないき》を荒《あら》くする。

(今年《ことし》もうちの聖母《せいぼ》を、みんなに見《み》せてやるか！)


授業参観《じゅぎょうさんかん》の当日《とうじつ》。

涼真《りょうま》は朝《あさ》から張《は》りきっていた。

「ママ、トーストは三枚《まい》ちょうだい。あと、目玉焼《めだまや》きは四《よっ》つだよ」

「そう言《い》うと思《おも》って、四《よっ》つ焼《や》いておいたわよ」

「ソーセージは六本《ろっぽん》ね。ケチャップはたっぷりかけて」

「はい、どうぞ」

と差《さ》しだされたお皿《さら》には、目玉焼《めだまや》きとソーセージの他《ほか》に、ブロッコリーものっていた。

「野菜《やさい》はいらないって言《い》ってるじゃん！　お皿《さら》にのせないで！」

「そうね、ごめんなさい」

涼真《りょうま》はブロッコリーをつまんで、ぽいぽいとテーブルの上《うえ》に放《ほう》りなげた。それから次々《つぎつぎ》とソーセージを飲《の》みこんでいく。口《くち》のまわりはケチャップだらけだ。

「いつもおいしそうに食《た》べて、えらいわ〜。涼真《りょうま》ちゃんは選《えら》ばれた人間《にんげん》だから、どれだけ食《た》べても太《ふと》らないのね」

トーストと目玉焼《めだまや》きもあっという間《ま》に食《た》べつくし、オレンジジュースをごくごく飲《の》んだ。

「あ〜、うまかった。食《た》べすぎて苦《くる》しいや」

涼真《りょうま》は、パンパンにふくれあがったおなかをさすって立《た》ちあがる。

「じゃ、行《い》ってきます。ママ、絶対《ぜったい》に遅刻《ちこく》しないでよ」

「ええ、わかってるわ」

涼真《りょうま》はランドセルを背負《せお》って家《いえ》をでると、軽《かろ》やかな足《あし》どりで学校《がっこう》にむかった。

（楽《たの》しみだなあ）

授業《じゅぎょう》がはじまるころになると、次々《つぎつぎ》と保護者《ほごしゃ》がやってきた。

五年《ねん》三組《くみ》のクラスメイトたちは、いつもとはちがう教室《きょうしつ》の雰囲気《ふんいき》に、みんなそわそわとおちつかない様子《ようす》だ。

自分《じぶん》の親《おや》が来《き》ていないかと、うしろを振《ふ》りかえってたしかめている。

「もう来《き》てる、うちのママ」

「うちはお父《とう》さんが来《く》るんだ。あ、来《き》た。お父《とう》さーん」

そう言《い》ってはしゃぐ女子《じょし》もいれば、

「なんだ、あのよそいきの服《ふく》。ウケるー」

「母《かあ》ちゃん、いつもより化粧《けしょう》濃《こ》いんだけど」

と、苦笑《にがわら》いしている男子《だんし》もいた。

教室《きょうしつ》のうしろに集《あつ》まっている保護者《ほごしゃ》たちは、井戸端会議《いどばたかいぎ》をしている。

「まったくうちの子《こ》ってばねぇ、ぜんぜん言《い》うこと聞《き》かないんだから」

「あ〜、うちもよ」

「いつもゲームばっかして、困《こま》ったもんよねぇ」

「うちなんて、お風呂《ふろ》に入《はい》りなさいって言《い》っても無視《むし》して、ずーっとタブレットで動画見《どうがみ》てるのよ」

にぎやかな教室《きょうしつ》のなかで、涼真《りょうま》は静《しず》かに座《すわ》っていた。

というより、動《うご》けない。

（やばい、腹《はら》が………）

さっきからずっと、おなかがグルル、キュルル、と危険《きけん》な音《おと》をたてている。

（早《はや》く、この波《なみ》が去《さ》ってくれ。動《うご》けねえ）

涼真《りょうま》は真《ま》っ青《さお》な顔《かお》を脂汗《あぶらあせ》だらけにして、カタカタと小刻《こきざ》みに震《ふる》えていた。

油断《ゆだん》するとでてしまいそうだ。

（きっと朝《あさ》ごはんを食《た》べすぎたんだ。ちくしょう、なんでいま⁉）

「岡田《おかだ》くん、大丈夫《だいじょうぶ》？」

となりの席《せき》の女子《じょし》が、心配《しんぱい》して声《こえ》をかけてきたが、返事《へんじ》もできない。声《こえ》をだしたらまずいことになりそうだった。

（うるせぇ、話《はな》しかけんな!!）

必死《ひっし》に我慢《がまん》したからか、波《なみ》が少《すこ》しだけひいてきた。

（こ、この波《なみ》がすぎたらトイレに……）

するとそのとき、ろうかを歩《ある》く、品《ひん》のよい足音《あしおと》が聞《き》こえてきた。

コツン、コツン、コツン。この音《おと》は、涼真《りょうま》の母親《ははおや》のハイヒールの音《おと》。

「こんにちは」

教室《きょうしつ》に入《はい》ってきた聖母《せいぼ》は、圧倒的《あっとうてき》に清《きよ》らかな雰囲気《ふんいき》をまとっていた。

ぺちゃくちゃとしゃべっていた保護者《ほごしゃ》たちも、思《おも》わず口《くち》をつぐんで、彼女《かのじょ》を見《み》つめてしまう。

誰《だれ》かが「えっ？　あのママ、学校《がっこう》に土足《どそく》で入《はい》ってきてるわ」とささやいたが、涼真《りょうま》の母親《ははおや》はかまわずに美声《びせい》を張《は》りあげた。

「涼真《りょうま》ちゃん」

母親《ははおや》の声《こえ》に気《き》づいた涼真《りょうま》は、パッと顔《かお》を輝《かがや》かせ、立《た》ちあがった。

（ママ!!）

しかし、その瞬間《しゅんかん》、悲劇《ひげき》が起《お》きた。

「あっ………」

涼真《りょうま》の頭《あたま》が真《ま》っ白《しろ》になる。

まわりの席《せき》の子《こ》たちが悲鳴《ひめい》をあげ、いっせいに涼真《りょうま》からとびのいた。

「う、うわっ！　こいつもらした！」

「うそ――――っ！」

「ありえないんだけど！」

教室《きょうしつ》じゅうが騒然《そうぜん》となるなか、涼真《りょうま》はあんぐりと口《くち》を開《あ》けたまま、瞬《まばた》きもせずにその場《ば》に立《た》ちつくす。

ところがそこに、ソプラノ歌手《かしゅ》のような声《こえ》が高《たか》らかにひびいた。

「すごいわ、涼真《りょうま》ちゃんっ！」

みんながいっせいに、声《こえ》のしたほうを見《み》る。

そこには涼真《りょうま》の母親《ははおや》が立《た》っていて、祈《いの》るように両手《りょうて》の指《ゆび》を組《く》んで、うっとりした表情《ひょうじょう》を浮《う》かべていた。

「すごい、すごいわっ！　みんなの前《まえ》でおもらしするなんて!!　ふつうの子《こ》にはできないわ!!　記念《きねん》に下着《したぎ》を校長室《こうちょうしつ》に飾《かざ》ってもらいましょっ!!」

教室《きょうしつ》がしんと静《しず》まる。

子《こ》どもたちも保護者《ほごしゃ》もみんなぎょっとし、言葉《ことば》を失《うしな》っていた。

興奮《こうふん》しているのは、涼真《りょうま》の母親《ははおや》だけだ。

「ええ、そう！　それがいいわ！　校長先生《こうちょうせんせい》もきっとお喜《よろこ》びになるはずよ！」

涼真《りょうま》はその場《ば》から消《き》えてしまいたくなった。

（なんで………なんでそんなこと………）

はずかしくて、情《なさ》けなくて、母親《ははおや》の声《こえ》がずっと遠《とお》くから聞《き》こえてくるようだった。

涼真《りょうま》は保健室《ほけんしつ》で着替《きが》え、母親《ははおや》といっしょに学校《がっこう》を早退《そうたい》した。

家《いえ》に帰《かえ》ると、ソファの上《うえ》で体《からだ》をまるめてうずくまり、しくしく泣《な》いた。

涼真《りょうま》がこんなにおちこんでいるのに、母親《ははおや》は少《すこ》しも気《き》にしていないようだ。

キッチンで、楽《たの》しげに夕食《ゆうしょく》の支度《したく》をしている。

「……………ねえ、ママ」

ひざに顔《かお》をうずめたまま、問《と》いかける。

「ん？　なあに？」

「どうしてあんなこと言《い》ったの…………」

「ママ、なにか変《へん》なこと言《い》ったかしら？」

母親《ははおや》のほがらかな声《こえ》を聞《き》いて、涼真《りょうま》の怒《いか》りが爆発《ばくはつ》した。

顔《かお》をあげ、涙声《なみだごえ》で怒鳴《どな》る。

「もう学校《がっこう》に行《い》けないよ!!　だって、どう考《かんが》えても、おっ、おかしいだろ、あの状態《じょうたい》でほめるとか…………」

母親《ははおや》はまゆ毛《げ》を八《はち》の字《じ》にして、首《くび》をかしげている。なぜ涼真《りょうま》がおちこんだり怒鳴《どな》ったりしているのか、ちっともわかっていないようだ。

「そんな…………涼真《りょうま》ちゃんの偉業《いぎょう》に立《た》ちあえて、みんな喜《よろこ》んでたわよ」

「喜《よろこ》んでたんじゃない！　みんな僕《ぼく》をバカにしてたんだ！」

みんなの顔《かお》が、忘《わす》れられなかった。

ぎょっとして、言葉《ことば》を失《うしな》った、あの顔《かお》が。

「涼真《りょうま》ちゃんのような選《えら》ばれた人間《にんげん》を、バカにする人《ひと》なんていないのよ」

「ふざけないで！　僕《ぼく》、怒《おこ》ってるんだよ！」

これではまるで、壊《こわ》れたロボット相手《あいて》に会話《かいわ》しているのと同《おな》じだ。話《はなし》が通《つう》じない。

涼真《りょうま》の目《め》から、くやし涙《なみだ》がこぼれた。

でも母親《ははおや》は、泣《な》く涼真《りょうま》をなぐさめることもせず、うれしそうに頬《ほお》をそめている。

「はっきり意見《いけん》を言《い》えるなんてすばらしいわ。次《つぎ》の全校集会《ぜんこうしゅうかい》でスピーチしましょう！」

なにを言《い》っても、ぜんぜんとりあってもらえない。真剣《しんけん》に聞《き》いてもらえない。

イラついた涼真《りょうま》は、立《た》ちあがって、力任《ちからまか》せに母親《ははおや》をつきとばした。

「いいかげんにしてよ！」

ドンッ！

母親《ははおや》はよろけ、キッチンテーブルにぶつかって、床《ゆか》に倒《たお》れる。

テーブルにのっていた皿《さら》やカップが落《お》ち、ガシャガシャと音《おと》をたてて割《わ》れた。

「あ………」

我《われ》にかえった涼真《りょうま》は、あわてて母親《ははおや》にかけよった。

床《ゆか》につっぷしていた母親《ははおや》が、ゆっくりと体《からだ》を起《お》こす。

「マ、ママ……………ごめ…………」

母親《ははおや》が顔《かお》をあげた。

左《ひだり》まぶたの上《うえ》の傷《きず》がぱっくりと開《ひら》き、そこから血《ち》が流《なが》れていた。

傷《きず》のまわりは真《ま》っ赤《か》に腫《は》れ、左目《ひだりめ》が開《あ》けられないようだ。

その顔《かお》で、にっこりと笑《わら》う。

「涼真《りょうま》ちゃん、いつの間《ま》にかこんなにたくましくなって。なんてたのもしいんでしょう」

「え…………」

涼真《りょうま》はぞっとした。

(なんでほめるんだよ)

ふつうの母親《ははおや》なら叱《しか》って当然《とうぜん》だ。それなのに、うれしそうに笑《わら》っている。

母親《ははおや》がなにを考《かんが》えているのか、涼真《りょうま》にはわからなくなってしまった。

…いい加減《かげん》にしてよ！
ガシャン
…
マ…
こんなに逞《たくま》しくなって
なんて頼《たの》もしいんでしょう

あの日以来《ひいらい》、涼真《りょうま》は学校《がっこう》に行《い》かなくなった。
母親《ははおや》は病院《びょういん》で左《ひだり》まぶたを何針《なんはり》か縫《ぬ》い、ずっと眼帯《がんたい》をしている。
「じゃ、お仕事《しごと》に行《い》ってくるわね」
リビングのすみでひざを抱《かか》えている涼真《りょうま》にむかって、母親《ははおや》は微笑《ほほえ》みかけた。
相変《あいか》わらず、聖母《せいぼ》のようにおだやかだ。
(返事《へんじ》なんかするもんか)
背《せ》をむけていた涼真《りょうま》は、ちらりと見《み》ただけで顔《かお》をそむけた。
玄関《げんかん》からドアの閉《し》まる音《おと》が聞《き》こえてくると、あわててベランダにでる。
見《み》おろすと、大通《おおどお》りにむかって歩《ある》いていく母親《ははおや》のうしろ姿《すがた》があった。
(ママはいつも僕《ぼく》のことをほめる。でも本当《ほんとう》に僕《ぼく》のことが好《す》きなのかな?)
いつも微笑《ほほえ》んでいるけれど、瞳《ひとみ》の奥《おく》はからっぽだ。
涼真《りょうま》のことなんて、ちっとも見《み》ていないような気《き》がする。
するとそのとき、となりの家《いえ》の話《はな》し声《ごえ》が、ベランダごしに聞《き》こえてきた。
「もー、あんたは早《はや》く支度《したく》しなさい! 学校《がっこう》、遅《おく》れるわよ!」

「へ〜い」

となりの家族《かぞく》には、小学《しょうがく》三年生《ねんせい》の男《おとこ》の子《こ》がいた。

しょっちゅう母親《ははおや》に叱《しか》られているが、親子《おやこ》の仲《なか》はいい。家族《かぞく》みんなで楽《たの》しそうにでかけていく様子《ようす》もよく見《み》かける。

「ほらー、ハンカチ忘《わす》れてるって！」

「あっ、ほんとだ！　じゃあ行《い》ってきます！」

（ふつうの親《おや》ってこうだよな。僕《ぼく》のママは…………）

ふつうじゃない。

授業参観《じゅぎょうさんかん》に来《き》ていた保護者《ほごしゃ》たちも、「うちの子《こ》は言《い》うこと聞《き》かない」だとか「いつもゲームばっかりしてる」とか文句《もんく》を言《い》っていた。

でもそれは、毎日《まいにち》子《こ》どものことをよく見《み》て、気《き》にかけている証拠《しょうこ》だ。

（ふつうのママは、悪《わる》いことをすれば叱《しか》るし、話《はなし》ももっと通《つう》じるはず）

そう思《おも》うと、ズキン、ズキンと心《こころ》が痛《いた》んできた。

「………う」

ちがう、歯《は》が痛《いた》いのだった。

「いたたた！」

頬《ほお》を押《お》さえてみたものの、鈍《にぶ》い痛《いた》みはどんどん広《ひろ》がって、首《くび》や頭《あたま》まで痛《いた》くなってきた。

涼真《りょうま》はあわててバスルームへ行《い》き、洗面台《せんめんだい》の鏡《かがみ》の前《まえ》で、口《くち》を大《おお》きく開《あ》ける。

「なんなんだよ。なんでこんなに痛《いた》いんだよっ」

鏡《かがみ》に映《うつ》った口《くち》のなかを見《み》て、涼真《りょうま》は思《おも》わず妙《みょう》な声《こえ》をあげてしまった。

「あ…………？」

虫歯《むしば》だらけだ。

奥歯《おくば》は真《ま》っ黒《くろ》。おまけに、ひとつひとつの歯《は》が溶《と》けて小《ちい》さくなってしまったせいで、まばらに生《は》えているみたいに見《み》える。

歯茎《はぐき》はぶよぶよと赤《あか》く腫《は》れ、そのせいで歯《は》がぐらついている。

「ママが…………僕《ぼく》の口《くち》はすごいから、歯《は》をみがかなくても大丈夫《だいじょうぶ》だって…………」

涼真《りょうま》は、ベッドの上《うえ》で痛《いた》みに転《ころ》がりながら、母親《ははおや》が帰《かえ》ってくるのを待《ま》った。

「もう、もう、なんなんだよ…………いたた、痛《いた》いよう…………」

母親《ははおや》が帰宅《きたく》するとすぐに、歯科医院《しかいいん》につれていってもらった。

涼真《りょうま》の歯《は》を診察《しんさつ》した歯医者《はいしゃ》が、うーんとうなる。

「これはひどい。すぐにレントゲンを撮《と》りましょう」

できあがったレントゲン写真《しゃしん》を見《み》た歯医者《はいしゃ》は、深刻《しんこく》そうに言《い》った。

「すべての歯《は》が虫歯《むしば》になっていますねえ。残念《ざんねん》ですが、このままだとお子《こ》さんは、総入《そうい》れ歯《ば》にするしかないでしょう」

診察室《しんさつしつ》の椅子《いす》に座《すわ》る涼真《りょうま》は、しょんぼりと肩《かた》を落《お》とした。

「いやだ、そんなのいやだよぉ。おじいちゃんみたいじゃん…………」

うつむいて声《こえ》をつまらせる涼真《りょうま》の横《よこ》で、眼帯《がんたい》をした母親《ははおや》は、にこにこ笑《わら》っている。

そして、きれいなソプラノの声《こえ》で言《い》った。

「自分《じぶん》から歯医者《はいしゃ》さんに行《い》きたいって言《い》えて、えらかったわね。今日《きょう》は涼真《りょうま》ちゃんの大好《だいす》きなチョコレートケーキを買《か》って帰《かえ》りましょ」

これには歯医者《はいしゃ》もあきれて言葉《ことば》を失《うしな》っている。

（なんでそんなこと言《い》うんだよ……）

涼真《りょうま》は、ひざの上《うえ》においたこぶしを、ぎゅっとにぎる。

（あれ？　もしかして？）

授業参観《じゅぎょうさんかん》の日《ひ》から少《すこ》しずつ感《かん》じてきたモヤモヤの正体《しょうたい》が、わかったような気《き》がした。

（これって、けっこうやばい？）

ひきこもってゲームばかりやっているから、テストの点《てん》も悪《わる》いし、友《とも》だちもいない。

お菓子《かし》ばっかり食《た》べて歯《は》をみがかないから、虫歯《むしば》だらけ。

運動《うんどう》をしないから、体《からだ》もボロボロ。

参観日《さんかんび》の朝《あさ》だって、調子《ちょうし》にのって食《た》べすぎる涼真《りょうま》をとめてくれたら、みんなの前《まえ》で恥《はじ》をかくこともなかった。

（ママのせいだ。ママがずっとほめるから……）

涼真《りょうま》は、箸《はし》をちゃんと持《も》つことも、服《ふく》をたたむこともできなかった。

みんなが「マナー」と呼《よ》んでいることができない。教《おし》えてもらわなかったからだ。

（このままだと、僕《ぼく》はいったいどうなっちゃうんだろう？）

涼真《りょうま》はおそろしくなった。

（ママが僕《ぼく》をだめにしてるんだ）

涼真《りょうま》は決心《けっしん》した。

（ママに叱《しか》られるために、なるべく悪《わる》いことをしよう！）


家《いえ》に帰《かえ》ると、早速《さっそく》自分《じぶん》の部屋《へや》のなかをぐちゃぐちゃにちらかした。

棚《たな》の漫画《まんが》を全部《ぜんぶ》床《ゆか》に放《ほう》りなげ、教科書《きょうかしょ》やノートを切《き》りさいて、壁《かべ》に絵《え》の具《ぐ》をぶちまける。

ドタバタと騒々《そうぞう》しく暴《あば》れていたところへ、母親《ははおや》がやってきた。

「まあ、芸術的《げいじゅつてき》！　涼真《りょうま》ちゃんは芸術《げいじゅつ》の才能《さいのう》もあるのね〜」

失敗《しっぱい》だ。

涼真《りょうま》が息《いき》を切《き》らしながら大暴《おおあば》れしたのに、母親《ははおや》にはまったくひびいていない。

（くそっ……………）

またある日《ひ》は、母親《ははおや》が仕事《しごと》に行《い》っている間《あいだ》に、冷蔵庫《れいぞうこ》の中身《なかみ》を全部《ぜんぶ》とりだして、キッチンの床《ゆか》に投《な》げつけた。

割《わ》れた卵《たまご》。散乱《さんらん》するソーセージやにんじん、さけの切《き》り身《み》。牛乳《ぎゅうにゅう》もジャムも飛《と》びちって、床《ゆか》はひどいありさまだ。においもひどかった。

「これだけやれば――」

汗《あせ》だくでそうつぶやいたそのとき、母親《ははおや》が帰宅《きたく》した。

「あら」

眼帯《がんたい》をした母親《ははおや》は、聖母《せいぼ》のような笑《え》みを浮《う》かべている。

おっとりとキッチンをながめているだけで、いっこうに叱《しか》ろうとしない。

涼真《りょうま》はくやしくて、痛《いた》む奥歯《おくば》をぐっとかんだ。

「……どうして怒《おこ》らないの？　僕《ぼく》、悪《わる》いことしてるよ！」

母親《ははおや》は返事《へんじ》をせず、ただにこにこ笑《わら》っている。

「ちゃんと怒《おこ》ってよ！」

こんなに必死《ひっし》に叫《さけ》んでいるのに、涼真《りょうま》の言葉《ことば》はまったくとどいていないらしい。

「叱《しか》ってよ！」

すると母親《ははおや》は言《い》った。

「冷蔵庫《れいぞうこ》のなかを整理《せいり》してくれたのね。えらいわ、涼真《りょうま》ちゃん」

涼真《りょうま》は力《ちから》が抜《ぬ》けてしまった。

もうなにを言《い》っても、なにをやっても、叱《しか》ってもらえないのかもしれない。

母親《ははおや》は、床《ゆか》にまきちらされた食材《しょくざい》を、うれしそうに片《かた》づけはじめた。

「それじゃあ、ママはシャワーを浴《あ》びてくるわね。今日《きょう》の夕飯《ゆうはん》は、涼真《りょうま》ちゃんの大好《だいす》きなステーキよ」

（虫歯《むしば》だらけで歯《は》が痛《いた》いのに、そんなもの食《た》べられるわけないだろ…………）

涼真《りょうま》は、リビングのソファにどすんと腰《こし》をおろし、背《せ》もたれに体《からだ》をあずけた。

部屋《へや》のなかもちらかっている。服《ふく》は脱《ぬ》ぎっぱなし、お菓子《かし》の袋《ふくろ》も捨《す》てずにそのまま。

あちこちゴミだらけだ。

天井《てんじょう》をあおいで、弱々《よわよわ》しくつぶやく。

「なんで、叱《しか》ってくれないんだよ。子《こ》どもを叱《しか》るのが親《おや》の役目《やくめ》だろ」

ベランダにつづく掃《は》きだし窓《まど》が開《あ》いていて、さわさわと風《かぜ》が入《はい》ってきた。

涼真《りょうま》はゆれるカーテンを見《み》て、ぼんやりと思《おも》った。

（あぶないことしたら、叱《しか》ってくれるかな）
たとえば、ベランダの手《て》すりの上《うえ》にのってみるとか。
飛《と》びおりてみたらどうだろう――。
そのとき、電話《でんわ》が鳴《な》った。
プルルル、プルルル………。
呼《よ》びだし音《おん》はなかなか鳴《な》りやまない。
母親《ははおや》はバスルームでシャワーを浴《あ》びている。水《みず》の音《おと》が聞《き》こえてくる。
（そういえば、電話《でんわ》だけは唯一《ゆいいつ》、ママがほめない………）
涼真《りょうま》は鳴《な》りつづける電話《でんわ》を、じっと見《み》つめた。
バスルームにいる母親《ははおや》は、電話《でんわ》の音《おと》に気《き》づいていないようだ。
（いまなら電話《でんわ》にでられる！）
涼真《りょうま》は急《いそ》いで立《た》ちあがり、受話器《じゅわき》を持《も》ちあげようとしたところで、はたと手《て》をとめる。
（………でも、なんででちゃいけないんだ？）
あれだけ厳《きび》しく禁止《きんし》するのだから、理由《りゆう》があるはずだ。

(なにか秘密《ひみつ》があるのかな?)

しかし、こんなふうにためらっている間《あいだ》にも、母親《ははおや》が戻《もど》ってくるかもしれない。ぐずぐずしている時間《じかん》はなかった。

(いや、もうなんでもいい! 僕《ぼく》はちゃんと叱《しか》られたいんだ!)

涼真《りょうま》は思《おも》いきって受話器《じゅわき》をあげ、おそるおそる言《い》った。

「もしもし。岡田《おかだ》ですっ」

受話器《じゅわき》のむこうは、しばらく無言《むごん》のまま。

じりじりしながら返事《へんじ》を待《ま》っていると、聞《き》きおぼえのない声《こえ》がこたえた。

『涼真《りょうま》?』

(え……男《おとこ》の人《ひと》?)

涼真《りょうま》が知《し》っている大人《おとな》の男性《だんせい》は、担任《たんにん》の先生《せんせい》と、この間《あいだ》かかった歯医者《はいしゃ》くらいだ。

「そう、涼真《りょうま》だけど……」

すると電話《でんわ》の相手《あいて》は、興奮《こうふん》していまにも泣《な》きだしそうな声《こえ》をあげた。

『涼真《りょうま》!! ああ、神《かみ》さま!!』

「おじさん、誰《だれ》？」

『おまえのお父《とう》さんだよ‼』

涼真《りょうま》はおどろきのあまり、息《いき》がとまりそうになった。

（………お父《とう》さん？　僕《ぼく》が小《ちい》さいころに死《し》んだんじゃ………）

母親《ははおや》からはそう聞《き》かされていた。

父親《ちちおや》は、涼真《りょうま》がまだ二歳《さい》のころに、事故《じこ》で亡《な》くなったのだと。

家《いえ》には、そのころの写真《しゃしん》も飾《かざ》ってあるが、父親《ちちおや》は体《からだ》しか写《うつ》っていなかったり、うしろ姿《すがた》だったりして、どんな顔《かお》をした人《ひと》なのか知《し》らなかった。

父親《ちちおや》だというその男《おとこ》は、電話口《でんわぐち》でまくしたてる。

『調査会社《ちょうさがいしゃ》にたのんで、おまえたちをさがしてもらってたんだ！　海外勤務《かいがいきんむ》から戻《もど》り次第《しだい》、そっちに行《い》くから！』

「うそだ………だってママが………」

『うそじゃない！　あの女《おんな》は異常《いじょう》なんだ！　早《はや》く逃《に》げなさい！』

「ど、どういうこと………」

涼真《りょうま》の声《こえ》は震《ふる》えた。

『あの女《おんな》は、おまえがなにをやってもほめたたえることしかしなかった。そのせいで、赤《あか》ん坊《ぼう》のおまえが何度《なんど》危険《きけん》な目《め》にあわされたことか。ベランダの手《て》すりによじのぼったおまえを見《み》て、あの女《おんな》は助《たす》けもせずに、手《て》をたたいて〝えらい、えらい〟とほめたんだぞ？』

（危険《きけん》な目《め》に………）

いかにもあの母親《ははおや》がやりそうなことだ。涼真《りょうま》には、思《おも》いあたることがありすぎた。

『俺《おれ》と教育方針《きょういくほうしん》がちがうとわかると、あの女《おんな》はおまえをつれて行方《ゆくえ》をくらましたんだ』

電話《でんわ》の相手《あいて》は、本当《ほんとう》に父親《ちちおや》にちがいない。

『あの女《おんな》はおまえを、す』

そこで声《こえ》がブツッと切《き》れた。

通話《つうわ》が切《き》れている。細《ほそ》い指《ゆび》が、電話《でんわ》のフックボタンを押《お》して、通話《つうわ》を切《き》ったのだ。

ぎくりと身《み》がまえた涼真《りょうま》の頭《あたま》に、ぬれた長《なが》い髪《かみ》がかかり、水《みず》がポタポタとつたってくる。

水《みず》は、電話《でんわ》の横《よこ》にあったペン立《た》てにも落《お》ちた。

おそるおそる見《み》あげると、眼帯《がんたい》をした母親《ははおや》が覆《おお》いかぶさるように立《た》っていた。

「さすが涼真《りょうま》ちゃん。お電話《でんわ》できるなんておりこうさんね」

眼帯《がんたい》をしていないほうの右目《みぎめ》を細《ほそ》めている。

不気味《ぶきみ》な微笑《ほほえ》みに、涼真《りょうま》の全身《ぜんしん》に鳥肌《とりはだ》がたった。

「……僕《ぼく》をバカにしてるのか」

母親《ははおや》は返事《へんじ》をせず、微笑《ほほえ》みを張《は》りつかせたまま、じいっと涼真《りょうま》を見《み》おろす。

「なんでもかんでもほめやがって……」

父親《ちちおや》は電話《でんわ》で言《い》っていた。

『なにをやってもほめたたえることしかしなかった』

『赤《あか》ん坊《ぼう》のおまえが何度《なんど》危険《きけん》な目《め》にあわされたことか』

(このままだと、僕《ぼく》は……僕《ぼく》は……)

殺《ころ》されてしまう！

身《み》の危険《きけん》を感《かん》じた涼真《りょうま》は、とっさにペン立《た》てにあったハサミをつかんで振《ふ》りあげた。

「僕《ぼく》に近《ちか》づくなっ！」

ところが母親《ははおや》は、おびえるどころか、まるで「おいで」と言《い》うように、両腕《りょううで》を大《おお》きく広《ひろ》げる。

そして、うわずった声《こえ》で叫《さけ》んだ。

「すごいわ、涼真《りょうま》ちゃん！　ママを殺《ころ》そうとするなんて！」

「うわぁぁぁぁ！　来《く》るなぁぁぁ！」

ザクッ。

無我夢中《むがむちゅう》でハサミを振《ふ》りおろす。

「ハァ………ハァ………」

我《われ》にかえった涼真《りょうま》は、荒《あら》い呼吸《こきゅう》をくりかえしながら、がっくりと床《ゆか》にひざをついた。

母親《ははおや》は顔《かお》から血《ち》を流《なが》し、あおむけに倒《たお》れている。

「えらいわ、涼真《りょうま》ちゃん。本当《ほんとう》にすごいわ………」

うれしそうに微笑《ほほえ》みながら、母親《ははおや》は焦点《しょうてん》の合《あ》わない瞳《ひとみ》を涼真《りょうま》にむけた。

「ママの自慢《じまん》の息子《むすこ》よ。えらすぎる」

そう言《い》うと、むくりと起《お》きあがり、這《は》いつくばって涼真《りょうま》に近《ちか》づいてきた。

「さすが私《わたし》の神《かみ》さま――」

すごいわ
涼真《りょうま》ちゃん
ママを
殺《ころ》そうと
するなんて!

おそろしくなった涼真《りょうま》は、のけぞってずるずるとうしろに逃《に》げた。

その涼真《りょうま》の前《まえ》で、母親《ははおや》は祈《いの》るように両手《りょうて》を組《く》み、身《み》を投《な》げふした。

「あなたは神《かみ》さまよ」

「あの女《おんな》は、おまえを崇拝《すうはい》しているんだ」

父親《ちちおや》からそう聞《き》かされたのは、それから少《すこ》しあと、電話《でんわ》でのことだ。

涼真《りょうま》が生《う》まれると、母親《ははおや》は、ベビーベッドにしめ縄《なわ》を張《は》ったり、ろうそくをいくつも立《た》てたりしはじめたそうだ。

そのまわりを、ぬいぐるみやおもちゃ、お菓子《かし》のお供《そな》えものでいっぱいにする。

祭壇《さいだん》をつくっていたのだ。

なにも知《し》らずにベビーベッドで眠《ねむ》る涼真《りょうま》の前《まえ》で、母親《ははおや》は身《み》を投《な》げふして両手《りょうて》を組《く》み、一《いち》日《にち》じゅう祈《いの》りつづけたそうだ。

それから数《すう》か月後《げつご》。

涼真《りょうま》は病院《びょういん》にいた。

母親《ははおや》とひきはなされた涼真《りょうま》は、しばらく入院《にゅういん》していたのだったが、ついに退院《たいいん》できることになった。今日《きょう》は父親《ちちおや》がむかえに来《き》てくれる日《ひ》だ。

歯《は》はまだボロボロのままだったけれど、治療《ちりょう》のおかげで痛《いた》みはなくなった。運動《うんどう》もするようになり、顔色《かおいろ》はぐんとよくなった。

「まだかなぁ」

涼真《りょうま》は父親《ちちおや》が来《く》るのが待《ま》ちきれなくて、ろうかを行《い》ったり来《き》たりした。

看護師《かんごし》たちが声《こえ》をかける。

「涼真《りょうま》くん、退院《たいいん》おめでとうね」

「その服《ふく》、似合《にあ》ってるじゃない」

「うん。サッカーのレプリカユニフォームだよ」

最近《さいきん》はテレビでサッカー観戦《かんせん》するのが趣味《しゅみ》になっていた。

「退院《たいいん》したら、練習《れんしゅう》しようと思《おも》うんだ」

「そう。楽《たの》しみね」

するとそのとき、ろうかのむこうから、さっそうと歩《ある》く男性《だんせい》が現《あらわ》れた。

「涼真《りょうま》！」

背《せ》が高《たか》く、かっこよくスーツを着《き》こなし、革《かわ》ぐつもピカピカ。

これが涼真《りょうま》の父親《ちちおや》だった。

メールで送《おく》られてきた写真《しゃしん》を初《はじ》めて見《み》たときは、あまりにハンサムでおどろいてしまった。

「すごい！　僕《ぼく》のパパって、こんなにかっこよかったんだ！」

思《おも》わずそう言《い》ってしまったくらいだ。

涼真《りょうま》はぱっと笑顔《えがお》になり、父親《ちちおや》にかけ寄《よ》っていった。

「お父《とう》さんっ！」

だが、しかし。

バキィ！

突然《とつぜん》、父親《ちちおや》のこぶしが、涼真《りょうま》の頬《ほお》をなぐりつけた。

なにが起《お》きたのか、一瞬《いっしゅん》わからなかった。

「………？」

顔《かお》をあげると、父親《ちちおや》は冷《つめ》たい表情《ひょうじょう》で、涼真《りょうま》を見《み》おろしていた。

「公共《こうきょう》の場《ば》で走《はし》るな。おまえが一瞬《いっしゅん》でもまちがった行動《こうどう》をとれば、俺《おれ》は怒《おこ》る」

父親《ちちおや》の低《ひく》い声《こえ》が、涼真《りょうま》の上《うえ》に降《ふ》りそそぐ。

なぐられた口《くち》もとから、血《ち》がつつっと流《なが》れおちる。

まわりにいた看護師《かんごし》や患者《かんじゃ》たちも、おどろいてかたまっている。

「涼真《りょうま》、わかったな？」

父親《ちちおや》は、鬼《おに》のような冷酷《れいこく》な目《め》をして、そう言《い》った。

これは命令《めいれい》だった。さからうことなんてできない。

涼真《りょうま》は頭《あたま》がくらくらした。

血《ち》にそまったくちびるで、ふふふと笑《わら》う。

（ふふ………ははは、叱《しか》ってくれた………）

やっと、叱《しか》ってもらえた。

うれしくて体《からだ》が小刻《こきざ》みに震《ふる》え、涙《なみだ》がでてきた。

深《ふか》い愛《あい》を感《かん》じる。
たぶん、これが愛《あい》…………なのだろう。
涼真《りょうま》は思《おも》った。
僕《ぼく》はきっと、世界一幸《せかいいちしあわ》せな子《こ》どもにちがいない。

エピローグ

百四十一時間目《ひゃくよんじゅういちじかんめ》の授業《じゅぎょう》を終《お》わります。
叱《しか》られることのない少年《しょうねん》の毎日《まいにち》。
一見《いっけん》とても幸《しあわ》せそうでしたが…………そうでもなかったようです。
叱《しか》らない母親《ははおや》は、壊《こわ》れたロボットのように話《はなし》がかみあいません。
彼女《かのじょ》は、息子《むすこ》のことを神《かみ》さまだと信《しん》じて崇拝《すうはい》していました。
いきなり怒《おこ》ってなぐる父親《ちちおや》は、鬼《おに》のような冷酷《れいこく》な目《め》をしていました。
彼《かれ》は、息子《むすこ》のことを家畜《かちく》のように支配《しはい》したいようです。
壊《こわ》れたロボット。
神《かみ》さま。
鬼《おに》。

家畜《かちく》。

あれ？　おかしいですね。

この家族《かぞく》には、人間《にんげん》がひとりもいないみたい……。

やっぱり人間《にんげん》は、ほどほどに叱《しか》られて、ほどほどにほめられるのが一番《いちばん》。

片方《かたほう》だけでは、幸《しあわ》せになれないのかもしれませんね。

絶叫学級《ぜっきょうがっきゅう》

142時《じ》間《かん》目《め》

夜《や》行《ぎょう》の封《ふう》印《いん》 前《ぜん》編《ぺん》

プロローグ

みなさん、席《せき》についてください。

百四十二時間目《ひゃくよんじゅうにじかんめ》の授業《じゅぎょう》をはじめます。

この世《よ》には、軽々《かるがる》しく踏《ふ》みいってはいけない場所《ばしょ》があります。

たとえば、神《かみ》さまがまつられている神聖《しんせい》な場所《ばしょ》。

踏《ふ》みあらしでもしようものなら、おそろしいことが起《お》きてしまいます。

今回《こんかい》の授業《じゅぎょう》に登場《とうじょう》する子《こ》どもたちも、やってはいけないことをしてしまいました。

主人公《しゅじんこう》は、チハルとハルヒの緑川兄妹《みどりかわきょうだい》。

恐怖《きょうふ》の授業《じゅぎょう》を受《う》けているみなさんは、ふたりのことを知《し》っていますよね？

オカルトマニアの兄《あに》・チハルと、オカルトなんてぜんぜん好《す》きじゃないのに、いつも奇《き》妙《みょう》な出来事《できごと》に巻《ま》きこまれてしまう妹《いもうと》のハルヒ。

今回《こんかい》もまた、ふたりにおそろしい事件《じけん》が降《ふ》りかかります。
さらに、有名《ゆうめい》なあの陰陽師《おんみょうじ》も登場《とうじょう》。
ハルヒに恋《こい》する男子《だんし》も現《あらわ》れ………ひと波乱《はらん》もふた波乱《はらん》もありそうです。
ハルヒたちは無事《ぶじ》に事件《じけん》を解決《かいけつ》できるでしょうか？
恐怖《きょうふ》の授業《じゅぎょう》ならぬ、
恐怖《きょうふ》の大冒険《だいぼうけん》をお楽《たの》しみください！

校庭《こうてい》の桜《さくら》が、そろそろちりはじめそうな気配《けはい》を見《み》せている。

「神社《じんじゃ》の桜祭《さくらまつ》り、終《お》わる前《まえ》に行《い》こうよ」

「行《い》きた〜い」

「今日《きょう》とかどう？」

「いいね！」

六年生《ねんせい》に進級《しんきゅう》したばかりの緑川《みどりかわ》ハルヒは、そんな話《はなし》をしながら、仲《なか》のいいクラスメイトふたりといっしょにろうかを歩《ある》いていた。

「知《し》ってる？　麻世《まよ》ちゃんて、相原《あいはら》くんのこと好《す》きなんだって」

うわさ好《ず》きの鈴木《すずき》みわが、ポニーテールにした髪《かみ》をゆらしながら、そう言《い》う。

眼鏡《めがね》をかけている東良乃《あずまよしの》は、フフフと意味《いみ》ありげに笑《わら》った。

「知《し》ってるー。態度《たいど》でバレバレだよね」

〝麻世《まよ》ちゃん〟と〝相原《あいはら》くん〟というのは、同《おな》じ六年《ねん》一組《くみ》のクラスメイト。

ハルヒは、教室《きょうしつ》で毎日《まいにち》ふたりに会《あ》っているにもかかわらず、そんなことにはちっとも気《き》づいていなかった。

「うそっ！　知《し》らなかった」

肩《かた》までざっくりのばした髪《かみ》に、いつもボーイッシュな服装《ふくそう》のハルヒ。

あまりおしゃべりなほうではないけれど、責任感《せきにんかん》が強《つよ》く、性格《せいかく》はさっぱりしていた。

そして、恋《こい》バナにかなりうとかった。

良乃《よしの》がちょっとひいている。

「え！　ハルヒ同《おな》じ班《はん》なのに知《し》らなかったの？」

「ぜんぜん……………」

教室《きょうしつ》についた三人《にん》は、話《はな》しながらなかに入《はい》っていく。

「だってほら、見《み》てよ」

と、良乃《よしの》が教室《きょうしつ》の一角《いっかく》を指《ゆび》さした。

ハルヒがそちらに視線《しせん》をむけると、麻世《まよ》が相原《あいはら》に算数《さんすう》のノートを手渡《てわた》している。

「相原《あいはら》くん、ノート」

「ああ。ありがと」

そんな会話《かいわ》が耳《みみ》に飛《と》びこんでくる。なにげない教室《きょうしつ》でのひとコマだ。

ところがみわは、押《お》しころした声《こえ》で、ハルヒに耳打《みみう》ちした。

「麻世《まよ》ちゃんの、あのいかにも〝恋《こい》してる♡〟って顔《かお》。見《み》りゃわかるでしょ」

「え⁉」

ハルヒは麻世《まよ》の様子《ようす》をもう一度《いちど》観察《かんさつ》した。

ノートを渡《わた》した麻世《まよ》は、ぷいっと冷《つめ》たく相原《あいはら》から顔《かお》をそむけて、自分《じぶん》の席《せき》に戻《もど》っていく。

(どこが⁉)

どこが「恋《こい》してる♡って顔《かお》」なのか、ハルヒにはまったくわからない。むしろ、不機嫌《ふきげん》そうに見《み》えるのに……。

「わからん」

「も〜、鈍感《どんかん》だなぁ〜」

「悪《わる》かったねっ」

ハルヒは口《くち》をとがらせた。

（そういうの、よくわかんないんだよな。自分《じぶん》が恋《こい》するとか、想像《そうぞう》つかないし）

するとそのとき、教室《きょうしつ》のドアのところに、他《ほか》のクラスの男子《だんし》が現《あらわ》れた。

「大久保《おおくぼ》ー。教科書《きょうかしょ》貸《か》してー」

呼《よ》ばれた大久保拓馬《おおくぼたくま》は「おー、教科書《きょうかしょ》な」と大声《おおごえ》で言《い》い、ガタガタとあちこちの机《つくえ》にぶつかりながら、ドアのほうまで歩《ある》いていく。

女子《じょし》たちに「もー、ぶつかんないでよ」と文句《もんく》を言《い》われても知《し》らんぷりだ。

ドアのほうを振《ふ》りかえった良乃《よしの》とみわは、そこにいた男子《だんし》に釘《くぎ》づけになっていた。

「咲《さき》くんだ！」

「ああ、三組《くみ》の」

「咲《さき》くんって、ハルヒのこと気《き》になってるってうわさがあるんだよね」

みわが、ハルヒにむかってニヤリと笑《わら》う。

（え？　なにそれ!?）

おどろいたハルヒは、まんまるい目《め》をして、ドアのほうを見《み》る。

拓馬《たくま》と話《はな》している長瀬咲《ながせさき》は、すらっと背《せ》が高《たか》く、さわやかな印象《いんしょう》の男子《だんし》だ。

学校《がっこう》で見《み》かけることはあったけれど、ハルヒとは一度《いちど》も同《おな》じクラスになったことがなく、だからしゃべったこともない。

（え？　なんで私《わたし》？）

首《くび》をひねるハルヒの横《よこ》で、良乃《よしの》は自分《じぶん》のことのように大興奮《だいこうふん》していた。

「ギャー、うそ〜。咲《さき》くん、ハルヒのこと好《す》きなの？」

「ほんとだってば。三組《くみ》の子《こ》から聞《き》いたからたしかだよ」

ふたりの声《こえ》が聞《き》こえてしまったのか、ふいに咲《さき》がこちらをむき、ハルヒと目《め》が合《あ》う。

その瞬間《しゅんかん》、咲《さき》の顔《かお》がぱっと赤《あか》らみ、はにかんだように視線《しせん》をはずした。

（え………？）

良乃《よしの》とみわは、またもや大興奮《だいこうふん》。

「ほらーっ！」

3組《くみ》の
ハルヒのこと気《き》になってるって噂《うわさ》があるんだよね
え
うそ
3組《くみ》の子《こ》から聞《き》いたの…
ほらーっ
え
咲くんサッカークラブのエースなんだよー
もてるんだよー
え
HARU

「ハルヒに恋《こい》してる♡って顔《かお》してたでしょ！」

「咲《さき》くん、サッカークラブのエースなんだよー。モテるんだよー」

「告白《こくはく》されたらどーする⁉」

突然《とつぜん》、自分《じぶん》へと降《ふ》りかかってきた恋《こい》バナに、ハルヒは思《おも》いきり戸惑《とまど》ってしまった。

（え――…………）

休《やす》み時間《じかん》が終《お》わり、授業《じゅぎょう》がはじまっても、どことなく上《うわ》の空《そら》。

（どーするもなにも、ちょっと待《ま》ってよ。本当《ほんとう》に好《す》きってきまってないし）

そんなことを思《おも》いながら、気《き》づけば、下校《げこう》の時間《じかん》になっていた。

ランドセルを背負《せお》い、良乃《よしの》とみわのうしろを、ぼーっとしながら歩《ある》く。

（なんでこんなモンモンとしなきゃいけないの）

「ハルヒってば」

「んっ？」

びっくりして顔《かお》をあげると、ふたりがあきれている。

「だから今日《きょう》、となり町《まち》の神社《じんじゃ》で、桜祭《さくらまつ》りでしょ」

「三時半《じはん》に入《い》り口《ぐち》ね、っていま話《はな》してたんだけど」

「え？　あ、うん。わかった。神社《じんじゃ》ね」

あわてて返事《へんじ》をするハルヒの腕《うで》を、良乃《よしの》がツンツンとつっついた。

「も〜、咲《さき》くんのこと考《かんが》えすぎ♡　じゃあね、ハルヒ。遅刻《ちこく》しないでよ？」

手《て》を振《ふ》りながら去《さ》っていくうしろ姿《すがた》を見《み》つめながら、ハルヒは大《おお》きく息《いき》をはく。

（つかれる………）

恋《こい》バナについていくのは、ひどくエネルギーが必要《ひつよう》だ。


ぼんやりとしたまま家《いえ》につき、玄関《げんかん》のドアを開《あ》ける。

「………ただいまー」

「おかえり、ハルヒ」

「おかえりなさい、ハルヒちゃん」

玄関《げんかん》にいたのは母親《ははおや》と、近所《きんじょ》に住《す》んでいる女性《じょせい》だった。

去年《きょねん》、大学《だいがく》を卒業《そつぎょう》して社会人《しゃかいじん》になったばかりのお姉《ねえ》さんで、ハルヒが子《こ》どものころからよく知《し》っている。昔《むかし》から変《か》わらず、上品《じょうひん》でおだやかな雰囲気《ふんいき》の人《ひと》だった。

「あ、お姉《ねえ》さん。こんにちは」

「沖縄旅行《おきなわりょこう》のお土産《みやげ》を持《も》ってきたところなの。ハルヒちゃんもあとで食《た》べてね」

母親《ははおや》が、「こんなにたくさんいただいちゃった」とうれしそうに、お土産《みやげ》の入《はい》った紙袋《かみぶくろ》をハルヒに見《み》せる。

「ありがとうございます」

ハルヒはにっこり笑《わら》い、二階《かい》へつづく階段《かいだん》をのぼった。

(誰《だれ》か人生《じんせい》の先輩《せんぱい》に相談《そうだん》したいなあ。たとえばあのお姉《ねえ》さんとか………)

でも、どうやって相談《そうだん》したらいいのかもわからなかった。なになこんなに困《こま》っているのかも、それこそ恋《こい》がなんなのかも、ハルヒにはちんぷんかんぷんだ。

(こんなときって、どうすればいいんだろ。チハル兄《にい》なら………)

二階《かい》にある兄《あに》の部屋《へや》をノックする。

返事《へんじ》がない。

「チハル兄《にい》ー。開《あ》けるよー」

ドアを開《あ》けたハルヒは、ぎょっとしてかたまった。

カーテンを閉《し》めきった部屋《へや》のなか、あちこちに火《ひ》の灯《とも》ったろうそくが立《た》てられている。

そんな不気味《ぶきみ》な空間《くうかん》で、高校《こうこう》二年生《ねんせい》の兄《あに》、チハルは、真剣《しんけん》な顔《かお》をして机《つくえ》にむかっていた。

「なに…………してんの？」

思《おも》わず声《こえ》をうわずらせると、チハルは人《ひと》さし指《ゆび》をくちびるにあてる。

「しっ。静《しず》かに」

机《つくえ》の上《うえ》をよく見《み》ると、ウィジャボードがおいてある。

それはアルファベットや数字《すうじ》がならべて書《か》かれている板《いた》で、霊《れい》を呼《よ》びだすときに使《つか》う道《どう》具《ぐ》と言《い》われていた。

いわば、海外版《かいがいばん》のこっくりさんのようなものだ。

プランシェットと呼《よ》ばれる、ハート形《がた》の小《ちい》さなプレートをボードにおき、そこに指《ゆび》をそえると、プランシェットが動《うご》いて文字《もじ》を指示《しじ》してくれる…………らしい。

「いま、昔《むかし》の偉人《いじん》と交信《こうしん》してるんだ」

「はぁ…………」

チハルはオカルトマニアなのだった。

目《め》じりのさがった、やさしそうな顔立《かおだ》ち。ソフトな声《こえ》。

一見《いっけん》、イケメンなのだが、ちょっとだけ……いや、かなり変《か》わっていた。ふつうの人《ひと》は、昼間《ひるま》から部屋《へや》を真《ま》っ暗《くら》にして、霊《れい》と交信《こうしん》なんてしない。

(一番相談《いちばんそうだん》しちゃだめな先輩《せんぱい》、この人《ひと》だった)

ハルヒはくるりと踵《きびす》をかえして、ドアを閉《し》めながら問《と》いかけた。

「私《わたし》、友《とも》だちと桜祭《さくらまつ》りに行《い》ってくるから。屋台《やたい》でなにか買《か》ってこようかー?」

階段《かいだん》をおりかけたところで、部屋《へや》からチハルがでてくる。

「俺《おれ》も行《い》くよ」

「え? 意外《いがい》! 交信《こうしん》は?」

「もう終《お》わったよ」

そんなわけで、ハルヒはチハルといっしょに、となり町《まち》の神社《じんじゃ》へ行《い》くことになったのだった。

屋台《やたい》で何《なに》か買《か》ってこようかー？
……
パタン
俺《おれ》も行《い》くよ

神社《じんじゃ》へつづく参道《さんどう》は、桜並木《さくらなみき》が美《うつく》しかった。

屋台《やたい》もでていて、大勢《おおぜい》の人《ひと》でにぎわっている。

「知《し》ってるか、ハルヒ。ここはあの有名《ゆうめい》な陰陽師《おんみょうじ》ゆかりの神社《じんじゃ》なんだぞ」

「へー。なにその豆知識《まめちしき》」

オカルトに興味《きょうみ》がないハルヒには、あまり関心《かんしん》がない話題《わだい》だったが、そこではっと気《き》づいた。

「あ、だからついてきたの？」

兄《あに》は返事《へんじ》をせずにごまかしたが、図星《ずぼし》だったようだ。目《め》がキラキラと輝《かがや》いている。いつの間《ま》に手《て》に入《い》れたのか、神社《じんじゃ》のパンフレットまで持《も》っていた。

「お守《まも》りたくさん買《か》って帰《かえ》ろうな」

「やっぱりそうか。神社目当《じんじゃめあ》てで来《き》たんだ」

ちょうどそのとき、参道《さんどう》の入《い》り口《ぐち》のほうから、良乃《よしの》たちの声《こえ》が聞《き》こえてきた。

「おーい、ハルヒー」

「いたいた」

振《ふ》りかえったハルヒは、思《おも》わず「え？」と声《こえ》をあげてしまった。

なんと、拓馬《たくま》と咲《さき》もいっしょにいるではないか。

「あははは、やっぱ祭《まつ》りはいいな！　俺《おれ》、たこ焼《や》き食《く》いて〜!!」

おおはしゃぎしている拓馬《たくま》の横《よこ》で、咲《さき》がこちらを見《み》ている。

良乃《よしの》とみわは、「あんたのために気《き》をきかせたよ！」とでも言《い》いたげに、ハルヒにアイコンタクトしてくる。

（まじか。良乃《よしの》〜、みわ〜）

ハルヒは苦々《にがにが》しい表情《ひょうじょう》を浮《う》かべて、チハルに言《い》った。

「友《とも》だちいたから、じゃあここで」

歩《ある》きだしたハルヒを、チハルはひきとめた。

「ハルヒ」

「ん？」

「これ、つくったからあげる。前《まえ》より小《ちい》さいから、カバンにつけられるだろ」

チハルが差《さ》しだしたのは、〝ドリームキャッチャー〟という、ネイティブアメリカンに伝《つた》わる魔《ま》よけの一種《いっしゅ》。

輪《わ》っかに糸《いと》を張《は》って網《あみ》のようにし、羽根《はね》飾《かざ》りをつけたもので、枕《まくら》もとにかけておくと悪《あく》夢《む》を消《け》してくれるのだそうだ。

チハルは、たまにお守《まも》りをつくってくれる。

ハルヒが覚《おぼ》えているかぎりでは、最初《さいしょ》に手《て》づくりのお守《まも》りをもらったのは、まだ小学《しょうがっ》校《こう》にあがる前《まえ》。

こわい夢《ゆめ》を見《み》てうなされたハルヒに、同《おな》じようなドリームキャッチャーを渡《わた》してくれたことがあった。

(またこんなのつくって。昔《むかし》から変《か》わらないな)

ハルヒはあきれたが、チハルは無邪気《むじゃき》にニコニコしている。その笑顔《えがお》を見《み》たら、憎《にく》まれ口《ぐち》をたたくのは気《き》がひけた。

「ありがと。チハル兄《にい》」

「遅《おそ》くなりすぎるなよ」

「うん！」

元気《げんき》に返事《へんじ》をして、ハルヒは良乃《よしの》たちのところへかけていった。

「お待《ま》たせーっ」

「ハルヒ、なにそれっ？　さっき、お兄《にい》さんからもらったやつ」

良乃《よしの》が興味津々《きょうみしんしん》で、ハルヒのにぎっているドリームキャッチャーをのぞきこんだ。

「え、あ〜〜これね、お守《まも》り」

「手《て》づくり？」

「まあ………」

ハルヒは苦笑《にがわら》いを浮《う》かべた。

手《て》づくりのお守《まも》りをつくる人《ひと》はなかなかいないだろうし、ましてや妹《いもうと》にそれをあげる人《ひと》もそうそういないはず。説明《せつめい》しづらい。

（うう。あまり掘《ほ》りさげないでくれ）

常《つね》に空気《くうき》を読《よ》まない拓馬《たくま》が笑《わら》いだした。

「あははは！　緑川《みどりかわ》の兄《にい》ちゃんって、やっぱり変《か》わってんな〜!!」

心《こころ》のなかで「大久保《おおくぼ》、コノヤロウ」と思《おも》っていると、咲《さき》がふしぎそうな顔《かお》をする。

「そうなんだ。変《か》わってるの？」

「知《し》らねーの？　心霊《しんれい》オタクで有名《ゆうめい》なんだぜ」

（大久保《おおくぼ》～！　しゃべりすぎだってば！）

だんだんはずかしくなってきたが、そんなハルヒの気《き》も知《し》らず、拓馬《たくま》は調子《ちょうし》にのってつづける。

「家《いえ》に呪《のろ》いの道具《どうぐ》とか、ガイコツとかあるんだってよ。イテーよな」

「はは。変《か》わってるね……」

咲《さき》もこたえに困《こま》っているようだ。

（もうやめてくれ～）

はずかしさのあまり、ハルヒの顔《かお》は真《ま》っ赤《か》になった。チハルには悪《わる》いけれど、自分《じぶん》まで変《か》わっていると思《おも》われるのはいやだ。

ハルヒはとっさに、にぎっていたお守《まも》りを、ジャンパーのポケットのなかにかくした。

「早《はや》く屋台見《やたいみ》よーよ。こっちこっち」

みわに呼《よ》ばれて、ハルヒは気《き》をとりなおし、みんなのあとをついていく。

たこ焼《や》きやからあげ、お団子《だんご》など、みんなで思《おも》い思《おも》いのものを食《た》べて楽《たの》しむうちに、おちこんだ気持《きも》ちもすっかり忘《わす》れてしまった。

誰《だれ》よりも早《はや》く食《た》べおわった拓馬《たくま》が、きょろきょろとあたりを見《み》まわす。

「なぁ、この神社《じんじゃ》のこわいうわさ、知《し》ってる？」

真《ま》っ先《さき》に飛《と》びついたのは、良乃《よしの》だ。

「え〜〜！　なになに？」

「本殿《ほんでん》から、夜《よ》な夜《よ》な気味《きみ》の悪《わる》〜〜い泣《な》き声《ごえ》が聞《き》こえてくるんだってよ」

拓馬《たくま》はみんなをこわがらせようと、声《こえ》のトーンを落《お》とす。

「それもひとつじゃなくて、たくさん………」

「え〜〜！　なにそれ！　なんかいたりして………」

「たしかめてみようぜ」

拓馬《たくま》が本殿《ほんでん》にむかって歩《ある》きだす。

「えーっ！　なかに入《はい》るってこと？」

「大丈夫《だいじょうぶ》かな!?」

良乃《よしの》とみわは、キャーキャー騒《さわ》ぎながら、あとをついていく。

ハルヒは、とてもじゃないけれど、そんなことをする気《き》になれなかった。御神体《ごしんたい》がまつられている本殿《ほんでん》は、ふつう、立《た》ち入《い》り禁止《きんし》のはずだ。

それなのに、良乃《よしの》とみわも、しのびこむ気満々《きまんまん》。

「ハルヒも行《い》こーよ」

と手招《てまね》きをする。

「私《わたし》はやめとく。ねえちょっと、大久保《おおくぼ》も、勝手《かって》に入《はい》ったらだめだよ」

しかし、拓馬《たくま》がハルヒの忠告《ちゅうこく》を聞《き》くわけがなかった。

「まあまあ。すぐにでるから大丈夫《だいじょうぶ》だって。あ、こわいなら心霊《しんれい》ハカセをつれてきてもいいよ」

兄《あに》が心霊《しんれい》オタクなのは本当《ほんとう》だけれど、そうやってからかわれると、やっぱり腹《はら》がたつ。

いまのひと言《こと》で、拓馬《たくま》を心配《しんぱい》していた気持《きも》ちは、どこかへふっとんでしまった。

(イラッとするなぁ。なにかあっても知《し》らんからな…………)

ふん、と顔《かお》をそむけて帰《かえ》ろうとしたハルヒに、咲《さき》が声《こえ》をかける。

「緑川《みどりかわ》さんも行《い》こうよ」

「えっ？」

咲《さき》は、どこまでもさわやかに笑《わら》って言《い》った。

「いっしょに入《い》り口《ぐち》で待《ま》ってよう」

「…………入《はい》らないなら、いいけど」

どういうわけか、咲《さき》に誘《さそ》われるのは、悪《わる》い気《き》がしない。

（なんでだろう…………）

ハルヒはためらいつつも、みんなのあとをついて、本殿《ほんでん》まで行《い》くことにした。

本殿《ほんでん》は拝殿《はいでん》の奥《おく》にある。立《た》ち入《い》り禁止《きんし》のせいか、そのあたりだけ人気《ひとけ》がなく静《しず》かだ。

拓馬《たくま》と良乃《よしの》が、あたりをきょろきょろ見《み》まわす。

「誰《だれ》も見《み》てない？」

「うん」

引《ひ》き戸《ど》は、ガタガタとひっかかりはするものの、開《あ》けることができた。

「お、ラッキー。鍵《かぎ》、開《あ》いてた」

ひとりが通《とお》れるくらいに細《ほそ》く開《あ》けたすきまから、拓馬《たくま》、良乃《よしの》、みわの順《じゅん》で本殿《ほんでん》に足《あし》を踏《ふ》みいれていく。女子《じょし》ふたりの話《はな》し声《ごえ》が、外《そと》まで聞《き》こえてきた。

「わ〜。なかに入《はい》ったの、初《はじ》めて」

「真《ま》っ暗《くら》」

「あそこになにかあるよ」

ハルヒと咲《さき》は、戸《と》の外《そと》で、まるで狛犬《こまいぬ》のようにならんで立《た》つ。

戸《と》のすきまから、ちらりとなかをのぞいてみた。

広《ひろ》さは、ちょうど教室《きょうしつ》くらいあるようだ。

天井《てんじょう》には、三本脚《ぼんあし》の八咫烏《やたがらす》と正五角形《せいごかっけい》を組《く》みあわせたモチーフが、規則正《きそくただ》しくならんでいる。奥《おく》のほうの空間《くうかん》は、暗《くら》くてよく見《み》えなかった。

（………変《へん》な感《かん》じはしない）

「そりゃそうか」

ハルヒはそっとつぶやいた。

（いままでの体験《たいけん》がめずらしすぎるんだ。ああいうこと、しょっちゅうあるわけないよね）

オカルトには興味《きょうみ》がないハルヒだったが、なぜか奇妙《きみょう》な現象《げんしょう》に巻《ま》きこまれることが多《おお》かった。

幽霊《ゆうれい》なんてちっとも見《み》たくないのに、ハルヒには見《み》えてしまう。

そういうときにいつも助《たす》けてくれるのは、冷静《れいせい》でオカルトの知識《ちしき》が豊富《ほうふ》なチハルだ。

「八咫烏《やたがらす》って、道案内《みちあんない》をしてくれる導《みちび》きの神《かみ》だよね」

「えっ？」

突然《とつぜん》、咲《さき》に話《はな》しかけられ、ハルヒはびっくりしてしまった。

八咫烏《やたがらす》のことは、チハルから聞《き》いたことがあった。陰陽道《おんみょうどう》と深《ふか》い関係《かんけい》があるとも言《い》っていたっけ。

「咲《さき》くん、よく知《し》ってるね」

「日本代表《にっぽんだいひょう》のエンブレムに八咫烏《やたがらす》が描《か》いてあるから」

「そっか。サッカークラブだったね」

「うん」

会話《かいわ》がとぎれる。

しばらくすると、また咲《さき》が話《はな》しかけてきた。

「こわくないの？」

「あ…………うん。あんまり」

「緑川《みどりかわ》さんて、強《つよ》いんだね」

「そ、そうかなっ」

「どこかおちついてるっていうか、ふしぎな雰囲気《ふんいき》あるよね。…………僕《ぼく》、ずっと話《はな》してみたいって思《おも》ってて…………」

男子《だんし》にそんなことを言《い》われたのは初《はじ》めてだ。

ハルヒはどぎまぎしながら、横目《よこめ》でとなりを見《み》た。咲《さき》は顔《かお》を赤《あか》らめ、じっと正面《しょうめん》を見《み》つめている。

そして、意《い》を決《けっ》したように言《い》った。

「…………連絡先《れんらくさき》、交換《こうかん》しない？」

「うん……いいよ……」

ふたりは、少《すこ》し照《て》れながらスマートフォンをとりだし、連絡先《れんらくさき》の交換《こうかん》をする。こんなときにこんなところで交換《こうかん》するなんて、なんだかおかしな気分《きぶん》だ。

だが、そのときだった。

「キャア！」

「うわあ！」

突然《とつぜん》、本殿《ほんでん》のなかから叫《さけ》び声《ごえ》が聞《き》こえてきた。

とっさに振《ふ》りかえったハルヒと咲《さき》は、あわてて戸《と》を大《おお》きく開《ひら》き、なかに飛《と》びこんでいった。

「良乃《よしの》、みわっ、大丈夫《だいじょうぶ》!?」

「大久保《おおくぼ》、どうした!?」

見《み》ると、三人《にん》は暗《くら》がりのなかで、床《ゆか》を見《み》つめている。

涙目《なみだめ》の良乃《よしの》が、ハルヒたちを見《み》あげた。

「わ～～ん。なにか落《お》ちたよ」

「も〜〜、大久保《おおくぼ》くんが持《も》つから〜〜」

と、みわが怒《おこ》っている横《よこ》で、拓馬《たくま》はスマートフォンのライトをつけ、床《ゆか》を照《て》らしている。

「んだよ。ただの…………石《いし》じゃね？」

光《ひかり》のなかに浮《う》かびあがったのは、こぶしふたつ分《ぶん》ほどの大《おお》きさの石《いし》。

はしの一部《いちぶ》がくだけ、かけらがそばに落《お》ちている。どうやら拓馬《たくま》が石《いし》を持《も》ちあげ、落《お》としたときに割《わ》れてしまったようだ。

大騒《おおさわ》ぎしているみんなのなかで、ハルヒだけは石《いし》を見《み》つめたまま立《た》ちすくんだ。

（なんだろう、あれは…………）

床《ゆか》に落《お》ちた石《いし》から、モヤモヤと黒《くろ》い煙《けむり》のようなものが立《た》ちのぼっている。

「ねえ、石《いし》からなにか――」

そう言《い》いかけたとき、拓馬《たくま》がパッと立《た》ちあがった。

「やべ！　誰《だれ》か来《く》る！」

良乃《よしの》とみわはあわてふためき、ハルヒをつれて走《はし》りだした。

「もうでよっ！」

わ〜ん
何《なに》か落《お》ちたよ
大久保《おおくぼ》くんが持《も》つから〜
んだよ
ただの…石《いし》じゃね？
…ねぇ
石《いし》から何《なに》か…
やべ 誰《だれ》か来《く》る
もう出《で》よっ
早くっ

「早《はや》く！」

本殿《ほんでん》の戸《と》を閉《し》めると、五人《にん》は小走《こばし》りに神社《じんじゃ》をあとにした。

空《そら》は暗《くら》くなりかけていた。どこかで、カァカァとカラスが鳴《な》いている。

ハルヒたちは男子《だんし》と別《わか》れ、三人《にん》で歩《ある》いていた。

「神主《かんぬし》さんに見《み》つかんなくてよかったね」

「ほんと。あせったぁ」

良乃《よしの》とみわは、無邪気《むじゃき》におしゃべりをしている。

でもハルヒは、あの黒《くろ》いモヤのようなものが気《き》になって仕方《しかた》がなかった。

「じゃ、また明日《あした》ね」

四《よ》つ角《かど》で別《わか》れ、ひとりになったハルヒは、歩《ある》きながら考《かんが》えこんだ。

(あの石《いし》からでてたモヤ、なんだったんだろ)

いままでの経験《けいけん》からすると、あまりいいものとは思《おも》えない。けれど、どんなふうによくないのか、ハルヒにはそこまでわからない。

するとそのとき、沖縄土産《おきなわみやげ》をくれた女性《じょせい》が歩《ある》いてきた。

「あ、お姉《ねえ》さん。こんに…………」

ところが女性《じょせい》は、ハルヒを無視《むし》して通《とお》りすぎてしまった。ぶつぶつと独《ひと》り言《ごと》をつぶやいている。

「ふざけんな…………のヤロウ…………」

いつも上品《じょうひん》な彼女《かのじょ》がそんな言葉《ことば》を口《くち》にするなんて、明《あき》らかにおかしかった。髪《かみ》もボサボサだし、目《め》も血走《ちばし》っていて、まるで別人《べつじん》のようだ。

ハルヒは振《ふ》りかえり、遠《とお》ざかっていく彼女《かのじょ》を見《み》つめた。

背中《せなか》や肩《かた》、頭《あたま》から、うっすらと黒《くろ》い煙《けむり》のようなものが立《た》ちのぼっている。目《め》の錯覚《さっかく》…………ではないようだ。

(あれ、さっきのモヤと似《に》てる?)

不審《ふしん》に思《おも》いながら家《いえ》に帰《かえ》る。

「ただいま」

母親《ははおや》はキッチンで料理《りょうり》をしていたが、ハルヒに気《き》づかないのか、ずっと包丁《ほうちょう》でなにかを刻《きざ》んでいた。トントントントンと規則正《きそくただ》しい音《おと》が聞《き》こえてくる。

父親《ちちおや》はテーブルについて新聞《しんぶん》を広《ひろ》げ、「ははは」と大《おお》きな声《こえ》で笑《わら》っていた。なにかおもしろい記事《きじ》でもあったのだろうか。

二階《かい》にあがると、チハルが部屋《へや》からでてきた。

「お帰《かえ》り。遅《おそ》かったな」

（本殿《ほんでん》に入《はい》ったことはだまっとこ）

ハルヒはつくり笑《わら》いを浮《う》かべた。

チハルはやさしいから、神社《じんじゃ》での話《はなし》をしてもきっと怒《おこ》らないだろう。でも、おおごとになっては困《こま》る。

「うん。みんなでしゃべってたら遅《おそ》くなっちゃ――」

そう言《い》いかけたとき、家《いえ》の外《そと》から、なにやら怒鳴《どな》り声《ごえ》が聞《き》こえてきた。

「若《わか》くてきれいだからって、私《わたし》をバカにしてるの!?」

「なにこのおばあちゃん。いきなり怒鳴《どな》るとか、意味《いみ》わかんない！」

おどろいたハルヒとチハルは、二階《かい》の窓《まど》から外《そと》をのぞいた。

路上《ろじょう》でふたつの人影《ひとかげ》が言《い》いあいをしている。学校帰《がっこうがえ》りの女子高校生《じょしこうこうせい》とおばあさんだ。

「あれって……裏《うら》の家《いえ》のばーちゃん？」

ハルヒは目《め》を疑《うたが》った。裏《うら》の家《いえ》のおばあさんは〝仏《ほとけ》さまのようなやさしい人《ひと》〟と近所《きんじょ》でも有名《ゆうめい》だ。それなのにいまは、鬼《おに》のような形相《ぎょうそう》で怒《おこ》っている。

おばあさんたちだけではなかった。

ふしぎなことに、道《みち》のあちこちでケンカが起《お》きているのだ。

「たまには子育《こそだ》て協力《きょうりょく》しろよ！」

赤《あか》ちゃんを胸《むね》に抱《だ》き、大《おお》きな荷物《にもつ》を持《も》った若《わか》い母親《ははおや》が、となりを歩《ある》いていた父親《ちちおや》らしき男性《だんせい》にパンチを食《く》らわせている。

別《べつ》の場所《ばしょ》では、男性《だんせい》ふたりがなぐりあっていた。

「ぶつかったらあやまれよ！」

「あぁ？　おまえがぶつかってきたんだろ！」

ハルヒには、みんなの体《からだ》から立《た》ちのぼる黒《くろ》いモヤが見《み》えた。

（またあのモヤ……）

チハルが心配《しんぱい》そうに言《い》う。

「なにか異変《いへん》が起《お》きているみたいだ。父《とう》さんたちにも知《し》らせないと」

「そうだね」

ふたりはあわてて一階《いっかい》におりていった。

「父《とお》さん、母《かあ》さん。外《そと》でケンカが………」

そう言《い》ったチハルが、息《いき》をのむ。

母親《ははおや》が使《つか》っているまな板《いた》には、なにものっていなかったのだ。ただひたすらダンダンダンと包丁《ほうちょう》をまな板《いた》に打《う》ちつけている。

父親《ちちおや》の様子《ようす》もおかしかった。新聞《しんぶん》が上下《じょうげ》さかさまだ。読《よ》んでいるのではない。新聞《しんぶん》を顔《かお》の前《まえ》に広《ひろ》げ、笑《わら》いつづけているだけだった。

ダンダンダンダン――。

はははははは――。

しかも、ふたりの体《からだ》にまとわりついている黒《くろ》いモヤが、ハルヒには見《み》える。

（またモヤだ！　どうしよう………）

あせるハルヒとは逆《ぎゃく》に、チハルは冷静《れいせい》だった。すぐに110番《ばん》に電話《でんわ》をかけたのだが、何度《なんど》リダイヤルしてもつながらない。

「警察《けいさつ》は話《はな》し中《ちゅう》だ」

「みんなどうしちゃったのかな。それにあのモヤ……」

「モヤ？」

「パパたちの体《からだ》にまとわりついてて……やっぱり他《ほか》の人《ひと》には見《み》えてないんだ」

「いつから見《み》えるんだ？」

「桜祭《さくらまつ》りから帰《かえ》ってきてから」

チハルは深《ふか》く息《いき》をはいて、窓《まど》から外《そと》を見《み》やった。

外《そと》はますます騒然《そうぜん》とし、いたるところで人々《ひとびと》は言《い》いあらそい、なぐりあっている。

「単純《たんじゅん》な集団《しゅうだん》ヒステリーじゃなさそうだな」

ハルヒは重苦《おもくる》しい気持《きも》ちでうつむいた。

(また変《へん》なことが起《お》こってるの⁉　どうして私《わたし》のまわりばかり。私《わたし》、なにかした⁉)

怪奇現象《かいきげんしょう》も幽霊《ゆうれい》も、ハルヒは別《べつ》に好《す》きじゃない。できれば穏《おだ》やかにすごしていたい。

なのに、ハルヒはいつも巻《ま》きこまれてしまうのだ。

いま起《お》きているような、おそろしい出来事《できごと》に。

ふいに、本殿《ほんでん》での会話《かいわ》が頭《あたま》をよぎった。

『わ〜〜ん。なにか落《お》ちたよ』

『んだよ。ただの……石《いし》じゃね？』

（そうだ。あの石《いし》が……!!）

うつむいているハルヒを心配《しんぱい》したのか、チハルが声《こえ》をかける。

「どうした、ハルヒ？」

「な、なんでもない。ちょっと忘《わす》れ物《もの》して……行《い》ってくる」

うしろめたくてチハルの顔《かお》をまともに見《み》られないまま、ハルヒは家《いえ》からかけだしていった。

（まさか。まさかね）

まさか、いま起《お》きている異変《いへん》の原因《げんいん》は、あの石《いし》なのだろうか!?

神社《じんじゃ》に到着《とうちゃく》したハルヒは、息《いき》をはずませてあたりを見《み》まわした。

神社《じんじゃ》は、夕方《ゆうがた》のにぎわいがうそだったかのように静《しず》まりかえっている。

桜《さくら》の木々《きぎ》をゆらす風《かぜ》の音《おと》だけが、空《そら》にひびいていた。

(なんで誰《だれ》もいないの!?)

お祭《まつ》りは夜《よる》までやっているはずなのに、こんなに人《ひと》がいないなんて、どう考《かんが》えてもおかしい。

こわいけれど、ハルヒは覚悟《かくご》をきめて本殿《ほんでん》のなかに入《はい》っていった。

スマートフォンのライトであたりを照《て》らしながら歩《ある》く。ギシ、ギシ、と床《ゆか》が鳴《な》る。

あの石《いし》は、すぐに見《み》つけることができた。

ところが、みんなで来《き》たときに見《み》た形《かたち》とちがう。さらに細《こま》かく砕《くだ》けているのだ。

「どうして？　落《お》としたときはこんなにバラバラじゃなかったはず」

するとそのときだった。

「ハルヒ」

おどろいて振《ふ》りかえると、引《ひ》き戸《ど》のむこうにチハルが立《た》っている。

「チハル兄《にい》！」

「なにかかくしてそうだったから、ついてきたんだ。知《し》ってることがあるなら、話《はな》して」

「……わ、わかった。話《はな》すよ」

こうなってしまったら、全部《ぜんぶ》話《はな》すしかなかった。

ハルヒは本殿《ほんでん》の外《そと》のベンチに座《すわ》り、一部始終《いちぶしじゅう》を打《う》ちあけた。

「――で、誰《だれ》かが来《き》たから、みんなであわてて帰《かえ》ってきちゃったの」

ひととおり話《はな》しおえたが、チハルはだまったまま考《かんが》えこんでいる。

気《き》まずくなったハルヒは立《た》ちあがり、少《すこ》しふざけた口調《くちょう》で言《い》った。

「……えと、やっぱ原因《げんいん》って、うちらが石割《いしわ》っちゃったことなのかな。はは、もしかしてうちら、やっちゃった？」

しかし、チハルは笑《わら》わない。それどころか、いつになく厳《きび》しく声《こえ》を荒《あら》らげた。

「どうしてそんなところに入《はい》ったんだ！」

ハルヒは、ビクッと体《からだ》を震《ふる》わせた。こんなに怒《おこ》られるとは思《おも》っていなかったのだ。

「なんで友《とも》だちをとめなかった？　おまえはもうわかってるはずだろう！」

なにもこたえられず、ハルヒはその場《ば》に立《た》ちつくした。

チハルの言《い》うとおりだ。何度《なんど》も奇妙《きみょう》な体験《たいけん》をしてきたハルヒは、それがどれだけおそろしいことになるか、予想《よそう》できたはずだ。

「あの石《いし》は、なにかを封印《ふういん》してたのかもしれない。あれがおかれていたのは、本殿《ほんでん》。その下《した》にあるやばいものを神《かみ》さまが守《まも》ってたんだ」

チハルは振《ふ》りかえって、本殿《ほんでん》を見《み》やる。

「封印《ふういん》したのは、たぶんあの人《ひと》だと思《おも》う」

「え、誰《だれ》…………？」

「安倍晴明《あべのせいめい》」

チハルは重々《おもおも》しく、その名前《なまえ》を口《くち》にした。

次《つぎ》の日《ひ》、学校《がっこう》では、町《まち》じゅうで起《お》きている異変《いへん》のことでもちきりだった。

「パパたちが変《へん》でさ」

「え、うちも。ママがいきなり怒鳴《どな》って、テレビを壊《こわ》しちゃって」

「私《わたし》、家《いえ》に帰《かえ》りたくないよ〜」

朝《あさ》から教室《きょうしつ》が、いや、学校全体《がっこうぜんたい》がざわついていた。

ハルヒは授業《じゅぎょう》がはじまるまでの間《あいだ》、自分《じぶん》の席《せき》でじっとしていた。

（チハル兄《にい》、今《いま》ごろ例《れい》の人《ひと》と交信《こうしん》してんのかな）

チハルは、ウィジャボードを使《つか》って霊《れい》と交信《こうしん》ができると言《い》っている。それが本当《ほんとう》なのかどうか、ハルヒにはわからなかった。

（安倍晴明《あべのせいめい》って、あの妖怪退治《ようかいたいじ》したって人《ひと》だっけ。いいや、深《ふか》く考《かんが》えるのはやめよう）

ポケットから、チハル手《て》づくりのお守《まも》りをとりだして見《み》つめる。

チハルのきつい言《い》い方《かた》が、まだハルヒの耳《みみ》に残《のこ》っていた。

『どうしてそんなところに入《はい》ったんだ！』

（あんなふうに怒《おこ》られたの、初《はじ》めてだ）

ハルヒはむくれた顔《かお》をして、机《つくえ》に頬《ほお》づえをついた。

（でも、あんなに怒《おこ》らなくてもよくない？　落《お》としたの私《わたし》じゃないし、いつものチハル兄《にい》だったら、怪奇現象《かいきげんしょう》だって喜《よろこ》ぶところなのに）

するとそのとき、スマートフォンがブブッと振動《しんどう》した。見《み》ると、咲《さき》からのメッセージだ。

〈大丈夫《だいじょうぶ》？　いっしょに帰《かえ》ろう。女子《じょし》だけじゃあぶないよ〉

ハルヒは苦笑《にがわら》いした。

（この紳士《しんし》っぷり。本当《ほんとう》に同《おな》い年《どし》？）

格好《かっこう》つけているとか、そういうのとはちがう。桜祭《さくらまつ》りのときに話《はな》してみてわかったが、どうやらこれが咲《さき》の素《す》の性格《せいかく》らしい。

つまり、大人《おとな》っぽくてとても紳士的《しんしてき》。

（モテるわけだよね）

チャイムが鳴《な》り、担任《たんにん》の女性教師《じょせいきょうし》が教室《きょうしつ》に入《はい》ってきて、黒板《こくばん》の前《まえ》に立《た》つ。

ところが、教師《きょうし》は名簿《めいぼ》を思《おも》いきり教卓《きょうたく》にたたきつけた。

バンッ、という音《おと》が鳴《な》りひびき、教室《きょうしつ》の空気《くうき》が張《は》りつめる。みんなおどろいてかたまっているなか、学級委員《がっきゅういいん》がおそるおそる声《こえ》をかけた。

「…………せ、先生《せんせい》？」

教師《きょうし》は長《なが》い髪《かみ》を振《ふ》りみだし、怪物《かいぶつ》のように顔《かお》をゆがめてわめいた。

「やってらんない！　あたし帰《かえ》るぅぅぅ!!」

クラス全員《ぜんいん》があぜんとしていると、他《ほか》の教室《きょうしつ》からも、騒々《そうぞう》しい音《おと》が聞《き》こえてきた。ろうかにでると、教室《きょうしつ》を飛《と》びだした子《こ》どもたちであふれていた。どの教室《きょうしつ》でも、教師《きょうし》たちが窓《まど》を割《わ》ったり、教科書《きょうかしょ》を投《な》げたりして暴《あば》れている。

「パパやママだけじゃなく、先生《せんせい》たちまで……!?」

女子《じょし》のひとりが泣《な》きだした。

「もういやだ、家《いえ》に帰《かえ》る！」

「家《いえ》もいやだよ！　だって親《おや》も変《へん》になっちゃったんだよ？」

おびえた子《こ》どもたちは、学校《がっこう》の外《そと》にでようと、いっせいにろうかを走《はし》りだした。

学校《がっこう》はあっという間《ま》にパニック状態《じょうたい》になり、「押《お》すなよ」だとか「どこに行《い》ったらいいの！」といった叫《さけ》び声《ごえ》でいっぱいになった。

良乃《よしの》が泣《な》きながらハルヒの腕《うで》をつかむ。

「ハルヒ、なんとかしてよぉっ。こういうこと、詳《くわ》しいんでしょ!?」

「えっと、詳《くわ》しいのは兄《あに》で…………私《わたし》は…………」

「ハルヒイイ！」

（私《わたし》のせい…………でも、落《お》としたのは私《わたし》じゃない。だけど、私《わたし》は…………）

すがってくる良乃《よしの》を見《み》ているうちに、ハルヒも混乱《こんらん》してきた。

（今《いま》までこわい思《おも》いをしてきたのに、またこわい思《おも》いをしなくちゃいけないの？　だって
まさか、こんなことになるなんて…………）

『おまえはもうわかってるはずだろう！』

チハルに強《つよ》い口調《くちょう》で叱《しか》られた記憶《きおく》がよみがえる。

神聖《しんせい》なものに勝手《かって》にふれたり、それを壊《こわ》したりしたらどういうことになるか、ハルヒが
一番《いちばん》わかっていたはずだ。

それなのに、とめようとしなかった。

後悔《こうかい》してももう遅《おそ》い。ハルヒは、ぐっとくちびるをかんだ。

（私《わたし》のせいだ）

「良乃《よしの》は先《さき》に帰《かえ》ってて。私《わたし》、やることがあるから」

「うんっ！」

走《はし》り去《さ》っていく良乃《よしの》を見送《みおく》ると、ハルヒは急《いそ》いでチハルに電話《でんわ》をかけた。

「チハル兄《にい》？　今《いま》から帰《かえ》るから、私《わたし》になにかできないかな。手伝《てつだ》いたいっ！」

ところが、かえってきたのは冷《つめ》たい返事《へんじ》。

『…………いや、ハルヒはなにもしなくていい』

愕然《がくぜん》とした。こんなふうに拒《こば》まれたことは、今《いま》まで一度《いちど》もなかったから。

（まだ怒《おこ》ってるんだ）

「なんで？　今《いま》までふたりで解決《かいけつ》してきたじゃん！」

返事《へんじ》がなかった。むなしい笑《わら》いがこみあげてくる。

「はは…………そっか…………そうだよね。私《わたし》なんかいないほうがいいか。いつもいろいろやらかすし、やっかいごともってくるし」

ハルヒは自暴自棄《じぼうじき》になり、言《い》いはなった。

「私《わたし》なんかが妹《いもうと》で残念《ざんねん》だったよね」

『…………ハルヒ、本気《ほんき》で怒《おこ》るよ』

チハルが怒《おこ》ろうがなにしようが関係《かんけい》ない。

ハルヒは電話《でんわ》を切《き》って、走《はし》りだした。

ろうかは、ケンカをしたり、泣《な》いたり叫《さけ》んだりしている子《こ》どもたちであふれていた。学《がっ》校《こう》じゅうがおかしくなっている。

（とりあえず家《いえ》に帰《かえ》ろう）

ハルヒは通学路《つうがくろ》の坂《さか》をのぼり、ちょうどのぼりきったところで町《まち》を見《み》おろす。

どこもかしこも、ひどいありさまだった。

ビルやマンション、一軒家《いっけんや》――いろいろな場所《ばしょ》から、ハルヒにしか見《み》えない黒《くろ》いモヤが立《た》ちのぼっている。

救急車《きゅうきゅうしゃ》やパトカーのサイレンがいたるところで鳴《な》り、叫《さけ》び声《ごえ》や泣《な》き声《ごえ》も聞《き》こえてくる。

まるでゾンビ映画《えいが》の世界《せかい》に入《はい》ってしまったみたいだ。

ポケットからお守《まも》りをとりだし、じっと見《み》つめた。

（こんなの、もういらない…………）

ガードレールから身《み》をのりだして、坂《さか》の下《した》にお守《まも》りを投《な》げすてようとした、ちょうどそのとき。

パーッ！

激《はげ》しくクラクションを鳴《な》らしながら、つっこんでくる車《くるま》。

運転《うんてん》しているのは、正気《しょうき》を失《うしな》った男性《だんせい》だ。体《からだ》じゅうから黒《くろ》いモヤをただよわせている。

ハルヒの体《からだ》は、恐怖《きょうふ》で硬直《こうちょく》した。

(足《あし》が動《うご》かない…………逃《に》げられない!!)

そう思《おも》った瞬間《しゅんかん》だった。

誰《だれ》かがハルヒの腕《うで》をつかんで、思《おも》いきりひきたおした。その直後《ちょくご》、ドン、という大《おお》きな音《おと》が聞《き》こえてくる。

「…………いっ…………痛《いた》…………」

転《ころ》んで痛《いた》む体《からだ》を、やっとのことで起《お》こしたハルヒが見《み》たものは。

「チハル兄《にい》…………」

車《くるま》にはねられて意識《いしき》を失《うしな》っているチハルだった。

さっきハルヒの腕《うで》をひいて助《たす》けてくれたのは、チハル。身《み》がわりになって車《くるま》にひかれて

しまったのだった。
「チハル兄《にい》！」

そのころ、神社《じんじゃ》では。
ザワザワとあやしげな気配《けはい》があたりにただよっていた。
わずかに開《あ》いた本殿《ほんでん》の戸《と》から、何者《なにもの》かの笑《わら》い声《ごえ》がもれだしてくる。
くすくす、あははは、あはははは――――。
黒《くろ》いモヤたちの笑《わら》い声《ごえ》だ。

142
時《じ》間《かん》目《め》

夜《や》行《ぎょう》の封《ふう》印《いん》 中《ちゅう》編《へん》

「手術室《しゅじゅつしつ》あけて！」

「だめです、いっぱいです！」

チハルは救急車《きゅうきゅうしゃ》で病院《びょういん》に運《はこ》ばれ、処置《しょち》を受《う》けることになった。しかし、町《まち》じゅうで事故《じこ》が起《お》きているせいで、手術室《しゅじゅつしつ》はどこも使用中《しようちゅう》。処置《しょち》をする場所《ばしょ》がない。

「チハル兄《にい》………」

ストレッチャーにのせられたチハルは、顔《かお》も体《からだ》も血《ち》だらけで、意識《いしき》がない。

その姿《すがた》があまりにもショックで、ハルヒの体《からだ》は凍《こお》りついた。指先《ゆびさき》が冷《つめ》たい。

「妹《いもうと》さん、親御《おやご》さんとは連絡《れんらく》ついた⁉」

医師《いし》にそうたずねられ、ハルヒは震《ふる》えながらこたえる。

「い……いえ……」

家《いえ》に電話《でんわ》をかけたし、両親《りょうしん》のスマートフォンにも電話《でんわ》やメールをしてみたが、ぜんぜん応答《おうとう》がないのだった。

(全部《ぜんぶ》私《わたし》のせいだ)

あのとき、みんなをとめていれば、町《まち》が黒《くろ》いモヤだらけになることもなかった。お守《まも》りを投《な》げすてようなんて思《おも》わなければ、チハルは事故《じこ》にあわなかった。

(全部《ぜんぶ》………)

「手術室《しゅじゅつしつ》あきました！」

「よし。ちょっとどいて！」

医師《いし》は、ぼんやり立《た》っていたハルヒを手《て》で押《お》しのけて、ストレッチャーといっしょに手術室《しゅじゅつしつ》に入《はい》っていく。

ロビーに残《のこ》されたハルヒは、どうしたらいいのかわからず、ひとりで立《た》ちすくんでいた。

「緑川《みどりかわ》さん！」

ふいに名前《なまえ》を呼《よ》ばれて振《ふ》りかえると、咲《さき》があわてた様子《ようす》で立《た》っている。

「さがしたよ。家《いえ》に行《い》っても誰《だれ》もいなくて、もしかしたら事故《じこ》にあったのかなって

「…………」

咲《さき》の声《こえ》を聞《き》いたら、少《すこ》し心《こころ》がおちついてきた。泣《な》きそうになるのをこらえる。

「大丈夫《だいじょうぶ》、緑川《みどりかわ》さん」

「うん。でも兄《あに》が…………」

「とりあえず座《すわ》ろう」

咲《さき》につれられ、ふらつきながら待合室《まちあいしつ》に行《い》き、椅子《いす》に座《すわ》る。

「あのね…………兄《あに》が心霊《しんれい》オタクだって、大久保《おおくぼ》が言《い》ってたでしょ？」

「うん」

「本当《ほんとう》なんだ。ただオタクってだけじゃなくて、私《わたし》たちにはいつもふしぎなことが起《お》きる。兄《あに》が言《い》うには、あの神社《じんじゃ》の石《いし》は、なにかを封印《ふういん》してたのかもしれないんだって。あの石《いし》を割《わ》っちゃったから、町《まち》がこんなことに…………」

静《しず》かに耳《みみ》をかたむけていた咲《さき》は、しばらく考《かんが》えたあと、おだやかな口調《くちょう》で言《い》った。

「僕《ぼく》にはよくわからないけど…………でも、きっと大丈夫《だいじょうぶ》だよ。親《おや》や先生《せんせい》たちはおかしくなっちゃったけど、正常《せいじょう》な大人《おとな》は町《まち》にまだたくさんいる。お兄《にい》さんも大丈夫《だいじょうぶ》。お兄《にい》さんの回復力《かいふくりょく》を信《しん》じてあげよう？」

「……………うん」

ハルヒは弱々《よわよわ》しくうなずいた。

「あ、そうだ、これ」

と、咲《さき》はジーンズのポケットからなにかをとりだす。

「通学路《つうがくろ》に落《お》ちてたんだ。緑川《みどりかわ》さんのだよね？」

チハルがつくってくれたお守《まも》り、ドリームキャッチャーだった。

お守《まも》りを受《う》けとったハルヒの脳裏《のうり》に、微笑《ほほえ》みを浮《う》かべたチハルの姿《すがた》がよぎる。

（――私《わたし》、今《いま》まで、チハル兄《にい》がいたから大丈夫《だいじょうぶ》だった）

のりこえてこられた。

ひとりじゃなかったから。

お守《まも》りをにぎりしめると、ちょうど頭《あたま》の上《うえ》のあたりで、なにやら温《あたた》かい気配《けはい》を感《かん》じた。

（…………？）

ゆっくりと顔《かお》をあげる。

すると、淡《あわ》く光《ひか》る玉《たま》のようなものが、ハルヒの頭上《ずじょう》にふわりと浮《う》いていた。

(な……なにこれ)

光《ひかり》の玉《たま》を見《み》あげるハルヒを、咲《さき》はふしぎそうにのぞきこんだ。

「どうしたの?」

(そっか。咲《さき》くんには、見《み》えてないんだ)

もしかしたら光《ひかり》の玉《たま》は、ハルヒになにかを伝《つた》えるために、ここに来《き》たのかもしれない
――そう思《おも》った瞬間《しゅんかん》、玉《たま》はハルヒの手首《てくび》にまとわりつき、ぐいっとひっぱった。

(え? ついてこいってこと?)

玉《たま》はほんのりと温《あたた》かく、まるで誰《だれ》かの魂《たましい》のようにも思《おも》えた。

(もしかして、チハル兄《にい》………!?)

玉《たま》は空中《くうちゅう》をすべるようにすうっとすすむ。ハルヒは玉《たま》のあとを夢中《むちゅう》で追《お》った。

「えっ………どこに行《い》くの、緑川《みどりかわ》さん?」

あわてて立《た》ちあがった咲《さき》をおいて、ハルヒは走《はし》りだした。

「どこ行《い》くの!? みんな警察署《けいさつしょ》に避難《ひなん》してるよ。ねぇっ! 僕《ぼく》も行《い》くよっ!」

どうしたの？
見《み》えてないの？
……………
グイ
!?
グイ
グイ
え？
ついてこいってこと？
何《なに》か魂《たましい》に見《み》えるけど…
…はっ

必死《ひっし》に玉《たま》を追《お》うハルヒは、咲《さき》がついてきたことに気《き》づいていなかった。

光《ひかり》の玉《たま》はまっすぐにハルヒの家《いえ》にむかう。

ハルヒはずっと走《はし》りどおしで、玄関《げんかん》まで来《く》るころには息《いき》が切《き》れていた。

「…………パパたち、いない。どこ行《い》ったんだろう…………」

リビングは、まるで泥棒《どろぼう》に荒《あ》らされたような惨状《さんじょう》だ。

カーテンはやぶれ、椅子《いす》やテーブルは床《ゆか》に倒《たお》れ、本《ほん》やソファのクッションなどが散乱《さんらん》している。

光《ひかり》の玉《たま》は、階段《かいだん》をするするあがっていった。

そのままチハルの部屋《へや》に入《はい》り、チハルがいつも座《すわ》っている椅子《いす》の上《うえ》でふんわりと輝《かがや》く。

「うちに帰《かえ》りたかったの？」

暗《くら》い部屋《へや》のなかで、玉《たま》はやさしい光《ひかり》を放《はな》ちつづけている。

「やっぱりチハル兄《にい》なの？　病院《びょういん》に戻《もど》ろう？」

玉《たま》がふるふると左右《さゆう》にゆれる。

「いやってこと？」

玉《たま》はゆっくりと下降《かこう》して、机《つくえ》の上《うえ》に広《ひろ》げたウィジャボードを照《て》らす。ボードの上《うえ》にあったプランシェットが、カタカタとわずかに動《うご》いた。

「かわりに交信《こうしん》してってこと？　それよりいまは病院《びょういん》に――」

ちょうどそのとき、階段《かいだん》をあがってくる咲《さき》の声《こえ》がした。

「緑川《みどりかわ》さん、勝手《かって》に家《いえ》に入《はい》ってごめん。鍵《かぎ》が開《あ》いてるのに、呼《よ》んでも返事《へんじ》がないから心配《しんぱい》で…………わ！」

チハルの部屋《へや》をのぞくなり、おどろいて目《め》をまるくする。

それもそのはず。拓馬《たくま》の言《い》ったとおり、チハルの部屋《へや》は、ガイコツや不気味《ぶきみ》な人形《にんぎょう》、ろうそく、魔法陣《まほうじん》やお守《まも》りなど、オカルトグッズであふれているのだ。

「おー…………すごい」

と、咲《さき》はなんとも言《い》えない微妙《びみょう》な顔《かお》をする。

「ひいてるでしょ」

「そんなことないよ。お守《まも》り、たくさんあるね。お兄《にい》さんの手《て》づくり？」

「うん」

壁《かべ》にかかっている大《おお》きなドリームキャッチャーは、ハルヒが六歳《さい》のときにチハルからもらったものと同《おな》じ形《かたち》をしていた。

(あのときも、チハル兄《にい》は私《わたし》にお守《まも》りをつくってくれたっけ)

六歳《さい》のころ、ハルヒがこわい夢《ゆめ》を見《み》て泣《な》いていると、チハルがお守《まも》りをつくってくれた。

『悪夢《あくむ》はこの網目《あみめ》にひっかかってとまり、夜《よる》が明《あ》けると同時《どうじ》に消《き》えていく。いい夢《ゆめ》だけが網目《あみめ》を通《とお》ることができるんだ』

と言《い》って。

そうだった。いつもいつも。いつだって。

チハルはハルヒのことを見守《みまも》って、助《たす》けてくれた。

ハルヒは気合《きあ》いを入《い》れなおすため、自分《じぶん》の両頬《りょうほほ》を、左右《さゆう》からパチンとてのひらではさんだ。

「ど、どうしたんだ、緑川《みどりかわ》さん?」

「咲《さき》くん、ごめん。先《さき》に避難《ひなん》してて。私《わたし》、やらなきゃいけないことがあるんだ」

あっけにとられている咲《さき》に、ハルヒは言《い》った。

「いままでたくさん助《たす》けてもらったから。次《つぎ》は、私《わたし》が助《たす》ける番《ばん》！」

それに、これは自分《じぶん》でまいた種《たね》だ。自分《じぶん》でどうにかしないと、きっと後悔《こうかい》する。

ハルヒがウィジャボードの準備《じゅんび》をはじめると、咲《さき》が近《ちか》づいてきた。

「僕《ぼく》も手伝《てつだ》うよ」

「えっ？」

「なにが起《お》きているか、僕《ぼく》にはよくわかんないけど、緑川《みどりかわ》さんの力《ちから》になりたい」

「でも――」

と言《い》いかけたハルヒを、咲《さき》はさえぎった。

「女《おんな》の子《こ》をひとりにさせられるわけないだろ！」

咲《さき》はやっぱり大人《おとな》っぽくて紳士的《しんしてき》だ。突然《とつぜん》こんな事態《じたい》になって戸惑《とまど》っているはずなのに、
それでもハルヒを助《たす》けようとしてくれている。

「ありがとう」

ハルヒは力強《ちからづよ》くうなずき、プランシェットの位置《いち》を整《ととの》えた。

プランシェットには円形《えんけい》の穴《あな》があけられているのだが、その穴《あな》からボードに書《か》かれた数《すう》字《じ》「5」を見《み》えるようにする。

「咲《さき》くん、この上《うえ》に人《ひと》さし指《ゆび》をおいて」

「え？　こ、こう？」

咲《さき》につづき、ハルヒもプランシェットの上《うえ》に人《ひと》さし指《ゆび》をおいて、静《しず》かに言《い》った。

「安倍晴明《あべのせいめい》さん、できてください。私《わたし》たちはなにをすればいいですか？」

反応《はんのう》がない。静《しず》まったままだ。

いっこうに動《うご》かないプランシェットを見《み》て、咲《さき》が不安《ふあん》そうな声《こえ》をあげた。

「さっき病院《びょういん》で言《い》ってた、石《いし》を割《わ》ったせいで町《まち》がおかしくなったって話《はなし》、本当《ほんとう》だと思《おも》う？」

「えっ？　どうして？」

「言《い》いづらいけど、お兄《にい》さんの妄想《もうそう》ってことは――」

「妄想《もうそう》じゃないよ」

ハルヒはきっぱりと言《い》いきった。

「本当《ほんとう》にふしぎなことが起《お》きてる。咲《さき》くんたちが気《き》づかないだけで、そこらじゅうで起《お》こってるんだよ。私《わたし》はたくさん見《み》てきたから、わかるんだ」

ハルヒに圧倒《あっとう》され、咲《さき》がごくりとつばをのむ。

すると次《つぎ》の瞬間《しゅんかん》、プランシェットが、ふたりの人《ひと》さし指《ゆび》をのせたまままいきおいよく動《うご》いた。

「えっ、動《うご》いた⁉」

おどろく咲《さき》なんておかまいなしに、プランシェットはぐいぐい動《うご》き、円形《えんけい》の穴《あな》からアルファベット「S《エス》」が見《み》える場所《ばしょ》でとまった。とまったと思《おも》ったらまた動《うご》く。

「S《エス》」「E《イー》」「A《エー》」「L《エル》」――――。

「Seal《エスイーエーエル》って……シール？」

意味《いみ》がわからない。ハルヒが考《かんが》えこんでいると、咲《さき》が言《い》う。

「たしか、封印《ふういん》って意味《いみ》だった気《き》がする」

チハルは言《い》っていた。「あの石《いし》は、なにかを封印《ふういん》してたのかもしれない」と。

やはり、チハルの言《い》うとおりだったのだ。妄想《もうそう》なんかじゃない。

プランシェットは、またもや動《うご》きだした。「G《ジー》」「O《オー》」――――。

「Go《ゴー》!?」

「えっ……………封印《ふういん》しろってこと!?　私《わたし》たちが!?」

ふたりは顔《かお》を見《み》あわせた。咲《さき》がぶるっと身震《みぶる》いをする。

「あ、あのさ、緑川《みどりかわ》さん。トイレ借《か》りてもいいかな？」


咲《さき》は頭《あたま》が混乱《こんらん》していた。こんなおそろしい出来事《できごと》に巻《ま》きこまれたのは、生《う》まれて初《はじ》めてなのだ。ハルヒのように冷静《れいせい》にとはいかなかった。

トイレで用《よう》をすませると、いくらか気持《きも》ちがおちついてきた。

「……………僕《ぼく》、なにしてるんだろ。やっぱり緑川《みどりかわ》さんをつれて、避難《ひなん》すべきなのかな」

手《て》を洗《あら》い、すりガラスのはまった窓《まど》のほうを見《み》やる。

外《そと》はうす暗《ぐら》くなっていた。病院《びょういん》をでてからそんなに時間《じかん》がたっていないはずなのに、なんだか時間《じかん》のすすみ方《かた》がおかしい気《き》がする。

するとそのとき、窓《まど》の外《そと》から、小石《こいし》を踏《ふ》むような音《おと》が聞《き》こえてきた。

ジャリ……………ジャリ……………。

音《おと》とともに、すりガラスのむこうを、奇妙《きみょう》なシルエットが通《とお》りすぎる。

それは人影《ひとかげ》に似《に》ているが、ボサボサ髪《がみ》の頭《あたま》に、牛《うし》のツノのようなものが二本《ほん》生《は》えている。

「え？」

咲《さき》は目《め》をこすって、もう一度《いちど》よく見《み》た。

不気味《ぶきみ》なかげは、もういなくなっていた。小石《こいし》を踏《ふ》むような音《おと》も聞《き》こえない。

「………見《み》まちがいかな」

首《くび》をかしげながら、咲《さき》はチハルの部屋《へや》に戻《もど》っていった。

ふたりはウィジャボードの指示《しじ》どおり、神社《じんじゃ》にむかうことにした。

外《そと》にでると、まず、まったく人気《ひとけ》がないことにおどろいた。ひとっこひとりいない。

あたりは暗《くら》いのに、家々《いえいえ》の明《あ》かりも街灯《がいとう》もついていない。

空《そら》には満月《まんげつ》がでていたが、いまは雲《くも》にかくれてしまっていて、足《あし》もとすらよく見《み》えないほど暗《くら》かった。

「咲《さき》くん、とりあえず神社《じんじゃ》に行《い》ってみよう」

「封印《ふういん》の方法《ほうほう》は知《し》ってるの？」

「知《し》らない。でも、神社《じんじゃ》に行《い》けばなんとかなる気《き》がするんだ」

ただの勘《かん》だったけれど、さまざまな怪異《かいい》を経験《けいけん》してきたハルヒには、なんとなくわかるのだった。

ふたりが走《はし》りだしてしばらくすると、ふいに咲《さき》の足《あし》がとまった。

「どうしたの？」

「あ、ううん………みんな避難《ひなん》したのかな、と思《おも》って」

咲《さき》は、通《とお》りかかった道沿《みちぞ》いの家《いえ》に近《ちか》づき、窓《まど》から部屋《へや》のなかをのぞく。

暗《くら》くてよく見《み》えないが、テーブルや椅子《いす》は壊《こわ》され、割《わ》れたコップや、首《くび》のちぎれたぬいぐるみが散乱《さんらん》している。

「この様子《ようす》だと、無事《ぶじ》に避難《ひなん》したようには思《おも》えないけど………」

みんなはいったいどこに行《い》ってしまったのだろう。ハルヒの両親《りょうしん》はいったいどこへ？

（パパたち、無事《ぶじ》でいてよ）

早《はや》く封印《ふういん》しないと、とりかえしのつかないことになる。

「咲《さき》くん、急《いそ》ごう」

ハルヒがそう言《い》ったときだった。

どこからともなく生臭《なまぐさ》いにおいが近《ちか》づいてくる。

大《おお》きなかげに覆《おお》われたふたりは、おそるおそる振《ふ》りあおいだ。

そこにいたのは、体長《たいちょう》が三メートルはありそうな、巨大《きょだい》な獣《けもの》……いや、鬼《おに》だ！

「!!」

頭《あたま》からツノを生《は》やした鬼《おに》は、ゴリラのように前《まえ》かがみに立《た》ち、赤《あか》いギラギラした目《め》でふたりを見《み》おろす。

そして、太《ふと》い腕《うで》をのばして咲《さき》につかみかかろうとした。

「あぶないっ！」

ハルヒはすばやく咲《さき》の腕《うで》をひっぱり、そのまま全速力《ぜんそくりょく》で走《はし》りだす。

（なに!?　なに!?　いまのは……）

ふたりは何度《なんど》も角《かど》をまがり、住宅地《じゅうたくち》を走《はし》り抜《ぬ》けた。

あたりが次第《しだい》に明《あか》るくなってきた。満月《まんげつ》にかかっていた雲《くも》が、少《すこ》しずつとぎれてきたのだ。

やがてまわりがよく見《み》えるようになると、ふたりは思《おも》わず立《た》ちどまった。

信号機《しんごうき》の消《き》えた交差点《こうさてん》を、化《ば》け物《もの》たちが練《ね》り歩《ある》いているではないか………。

真《ま》っ白《しろ》い目玉《めだま》のろくろ首《くび》。

十二単《じゅうにひとえ》を着《き》た幽霊《ゆうれい》。

目《め》や口《くち》のついた巨大《きょだい》なちょうちん。

頭《あたま》が琵琶《びわ》の妖怪《ようかい》。

平安時代《へいあんじだい》の装束《しょうぞく》を着《き》た獣《けもの》や、半魚人《はんぎょじん》のようなものもいる。

満月《まんげつ》の明《あか》るい光《ひかり》に照《て》らされ、化《ば》け物《もの》たちはみんなうれしそうな笑《え》みを浮《う》かべながらぞろぞろ歩《ある》いていた。

その迫力《はくりょく》に圧倒《あっとう》され、足《あし》がすくんで動《うご》けない。

すると、どこからともなく、ハルヒたちを導《みちび》いた光《ひかり》の玉《たま》が、するりと近《ちか》づいてきた。

「ねえ、封印《ふういん》って、これを封印《ふういん》するの…………⁉」

玉《たま》は空中《くうちゅう》からハルヒを見《み》おろしている。「封印《ふういん》せよ」と告《つ》げているのだ。

化《ば》け物《もの》たちを見《み》つめていた咲《さき》が、ぽつりと言《い》った。

「これ……百鬼夜行《ひゃっきやこう》だよ。ほら、妖怪《ようかい》の大行列《だいぎょうれつ》の…………」

次《つぎ》の瞬間《しゅんかん》、化《ば》け物《もの》たちがいっせいに顔《かお》をむけた。

ギョロリ。

何十《なんじゅう》、何百《なんびゃく》という目《め》が、こちらを見《み》ている。恐怖《きょうふ》で背筋《せすじ》が凍《こお》った。

（まずい。見《み》つかった！）

ハルヒは咲《さき》をひっぱって、ふたたび走《はし》りだした。

「こっち！」

住宅街《じゅうたくがい》の細《ほそ》い道《みち》を選《えら》んでかけこむ。ここなら化《ば》け物《もの》の大行列《だいぎょうれつ》も来《こ》ないだろうと思《おも》ったのだったが、そう甘《あま》くはなかった。

ゾリ……ゾリ…………。

長《なが》い髪《かみ》と着物《きもの》のすそをひきずりながら、二体《たい》ののっぺらぼうが歩《ある》いてくる。

封印《ふういん》って
これを…!?
これ…百鬼夜行《ひゃっきやこう》だよ…
ほら妖怪《ようかい》の大行列《だいぎょうれつ》の…

「うそ、まだいるの⁉　神社《じんじゃ》まであと少《すこ》しなのに！」

ふたりは道《みち》に停《と》まっていた車《くるま》のうしろにしゃがんでかくれ、のっぺらぼうが通《とお》りすぎるのを待《ま》った。

ところが。

〈チノニオイガスル………〉

車《くるま》のすぐ横《よこ》で、のっぺらぼうが立《た》ちどまった。

ハルヒは左腕《ひだりうで》にできた切《き》り傷《きず》を、サッと右手《みぎて》でかくした。車《くるま》にひかれそうになったときにできた傷《きず》だ。

傷《きず》からにじんだ血《ち》はもうかたまっていたが、それでもにおいに気《き》づいたらしい。

〈チノニオイガスル〉

一体《いったい》ののっぺらぼうが言《い》うと、もう一体《いったい》もくりかえす。

〈チノニオイガスル〉

のっぺらぼうたちは、ゾリ、ゾリ、とハルヒたちに近《ちか》づいてきた。

（どうしよう………見《み》つかっちゃう！）

と、そのときだった。

ハルヒたちの上空《じょうくう》が、フラッシュのように光《ひか》った。

光《ひか》っているのは、ハルヒたちを導《みちび》いた玉《たま》。空中《くうちゅう》でとまり、まばゆい光《ひかり》を放《はな》ちつづけている。

「!?」

のっぺらぼうたちはそでで顔《かお》を覆《おお》い、光《ひかり》から逃《に》げるように体《からだ》をまるめている。

〈ウウウウウ〜〜〜〜ッ！　マタオマエ…………〉

のっぺらぼうは、いらだたしげにそう言《い》った。

（またおまえ、って誰《だれ》のこと？　あの玉《たま》、チハル兄《にい》だったんじゃないの…………？）

ふしぎに思《おも》っているハルヒを、咲《さき》は手首《てくび》をつかんで立《た》ちあがらせた。

「早《はや》く逃《に》げようっ！　こんな町《まち》、早《はや》くでるんだっ！」

しかし、すすもうとしている方向《ほうこう》がちがう。

「咲《さき》くん？　神社《じんじゃ》はあっちだよ？」

「逃《に》げる……ふたりで早《はや》く逃《に》げるんだ……逃《に》げる……逃《に》げ……」

咲《さき》は焦点《しょうてん》の合《あ》わない瞳《ひとみ》で、ぶつぶつと同《おな》じことばかりくりかえしている。あきらかに様《よう》子《す》が変《へん》だ。

「咲《さき》くん、しっかりして！」

咲《さき》はなにかにとりつかれたように、神社《じんじゃ》とは逆方向《ぎゃくほうこう》へ行《い》こうとした。ハルヒをひっぱる力《ちから》が、だんだん強《つよ》くなってくる。

「目《め》を覚《さ》まして！　ねえ!!」

咲《さき》の体《からだ》から、黒《くろ》いモヤが立《た》ちのぼっている。

「ごめん、咲《さき》くん！」

ハルヒはそう言《い》うと、咲《さき》を正気《しょうき》に戻《もど》そうと、頬《ほお》を強《つよ》くたたいた。

ドサッ、と道路《どうろ》に倒《たお》れる咲《さき》。

「さ、咲《さき》くん、大丈夫《だいじょうぶ》!?　思《おも》いきりたたいちゃった……」

ハルヒは、倒《たお》れた咲《さき》のそばにしゃがんだ。

咲《さき》は、目《め》を閉《と》じてううっと苦《くる》しそうにうめいている。やはりなにかに意識《いしき》をのっとられているようだ。

ドサ
……
咲《さき》くんっ
思《おも》いきりたたいちゃった
う……
フッ
ごめん
私《わたし》が解決《かいけつ》しなきゃ…

あたりを見《み》まわすと、化《ば》け物《もの》たちの姿《すがた》はもうない。それに、神社《じんじゃ》はすぐそこだ。

咲《さき》をここにおいていっても大丈夫《だいじょうぶ》なはず。

「ごめん、ひとりで行《い》くね。私《わたし》が解決《かいけつ》しなきゃいけないから」

立《た》ちあがったハルヒに、またしても巨大《きょだい》なかげが落《お》ちた。

はっとして見《み》あげると、そこには。

ズズズズズ――――。

巨大《きょだい》なガイコツが、立《た》ちならぶ家々《いえいえ》のむこうから顔《かお》をのぞかせている。

それは、理科室《りかしつ》にある人体骨格模型《じんたいこっかくもけい》を、そのまま大《おお》きくしたような化《ば》け物《もの》だった。

二階建《かいだ》ての家《いえ》よりもずっと背《せ》が高《たか》く、ズズズ、ときしむような音《おと》をたててうごめいている。

「もう、いいかげんにしてよ！」

これでは咲《さき》をおいてはいけない。ハルヒは、気《き》を失《うしな》ってぐったりと横《よこ》たわっている咲《さき》を、ひきずるように背負《せお》って、どうにか歩《ある》きはじめた。

巨大《きょだい》ガイコツは、ゆっくりと追《お》いかけてくる。

ようやく神社《じんじゃ》の境内《けいだい》までやってきたが、それでもまだついてきていた。

（本殿《ほんでん》はすぐそこ。もうちょっとだ………）

振《ふ》りかえると、骨《ほね》だけの腕《うで》がこちらに迫《せま》ってきていた。

「………っっっ!!」

力《ちから》を振《ふ》りしぼって本殿《ほんでん》の階段《かいだん》をのぼり、やっと引《ひ》き戸《ど》の前《まえ》にたどりつく。

すると、手《て》もふれていないのに、戸《と》が勝手《かって》に開《あ》いた。

「えっ!?」

暗《くら》い本殿《ほんでん》の奥《おく》、床《ゆか》の上《うえ》に、あの割《わ》れた石《いし》が見《み》える。

黒《くろ》いモヤにつつまれ、最後《さいご》に見《み》たときよりも、いっそう細《こま》かく砕《くだ》けているように思《おも》えた。

おどろいたハルヒは、咲《さき》をその場《ば》におろして、割《わ》れた石《いし》に近寄《ちかよ》っていく。

背後《はいご》で大《おお》きな音《おと》がして振《ふ》りかえると、ガイコツの指《ゆび》が、本殿《ほんでん》の引《ひ》き戸《ど》をつまんでひきはがしているではないか。

（まずい、早《はや》くしなくちゃ!!）

ガイコツがハルヒに手《て》をのばしたのと同時《どうじ》に、ハルヒは石《いし》に手《て》をのばした。

次《つぎ》の瞬間《しゅんかん》、なにかが爆発《ばくはつ》したかのように、あたりが明《あか》るくなる。

強烈《きょうれつ》なまぶしさに、ハルヒは思《おも》わず目《め》を閉《と》じた。

そして目《め》を開《あ》けると、なんと――――。

「えっ？　ここは………？」

本殿《ほんでん》の様子《ようす》が一変《いっぺん》していた。

さっきまで夜《よる》だったのに、いまは外《そと》が明《あか》るい。

引《ひ》き戸《ど》は大《おお》きく開《あ》けはなたれ、風《かぜ》にあおられた桜《さくら》の花《はな》びらがひらひらと舞《ま》っている。

戸《と》の外《そと》をよく見《み》れば、歩《ある》いている人《ひと》たちが変《か》わった服装《ふくそう》をしていた。みんな平安時代《へいあんじだい》の人《ひと》が着《き》るような装束《しょうぞく》を身《み》につけているのだ。

（まさか………）

ハルヒが呆然《ぼうぜん》としゃがんでいると、何者《なにもの》かの声《こえ》がした。

「ようこそ、ハルヒ」

振《ふ》りかえったハルヒは、息《いき》をのんだ。

狩衣《かりぎぬ》を着《き》て、立烏帽子《たてえぼし》をかぶった美《うつく》しい男《おとこ》が立《た》っている。
色白《いろじろ》で、涼《すず》やかな目元《めもと》をしたその男《おとこ》は、ハルヒを見《み》るなり、優雅《ゆうが》な笑《え》みを浮《う》かべた。
この人《ひと》はもしかして…………安倍晴明《あべのせいめい》!!

142時《じ》間《かん》目《め》

夜《や》行《ぎょう》の封《ふう》印《いん》 後《こう》編《へん》

「待《ま》っとったよ、時《とき》の巫女《みこ》」

晴明《せいめい》はおっとりとした口調《くちょう》でそう言《い》った。

（この人《ひと》、本物《ほんもの》の安倍晴明《あべのせいめい》なの？）

そう身《み》がまえたハルヒのもとに、光《ひかり》の玉《たま》がすべるように飛《と》んできた。

玉《たま》を見《み》た晴明《せいめい》は、手《て》にしている扇《おうぎ》で口《くち》もとをかくしながら陽気《ようき》に微笑《ほほえ》む。

「ほう、私《わたし》は未来《みらい》ではそんな姿《すがた》になってまうのか。体《からだ》が朽《く》ち果《は》てたあとも存在《そんざい》しつづけるとは、おかしなもんや」

「えっ、やっぱりこれ……………チハル兄《にい》じゃなかったの？」

最初《さいしょ》にこの光《ひかり》の玉《たま》を見《み》たときは、チハルの体《からだ》から抜《ぬ》けだした魂《たましい》だと思《おも》っていた。

だがどうやらこれは、時《とき》を超《こ》えてハルヒのもとにやってきた、晴明《せいめい》の魂《たましい》。

「ところでアレは、もう檻《おり》の外《そと》へだしてしもたんか？」

〝アレ〟がなにを指《さ》しているのか、ハルヒには瞬時《しゅんじ》にわかった。

町《まち》を襲《おそ》った鬼《おに》や、ガイコツ、交差点《こうさてん》を練《ね》り歩《ある》いていた化《ば》け物《もの》たちのこと。封印《ふういん》を解《と》いて外《そと》にだしてしまったのは、ハルヒたちだ。

「うん。私《わたし》、どうすればいいの？　封印《ふういん》ってどうやれば――」

とそのとき、ハルヒの背後《はいご》でガタンと音《おと》がする。

見《み》ると、気《き》を失《うしな》っていた咲《さき》がむくりと起《お》きあがり、引《ひ》き戸《ど》のほうへ走《はし》っていく。

「逃《に》げなきゃ……逃《に》げなきゃ！」

そうつぶやく咲《さき》の体《からだ》は、いまも黒《くろ》いモヤにつつまれている。

「咲《さき》くん！」

あわてて追《お》いかけるハルヒを尻目《しりめ》に、晴明《せいめい》はのんきな声《こえ》をだす。

「こらこら。どこ行《い》くんや」

晴明《せいめい》が、広《ひろ》げていた扇《おうぎ》をパタンと閉《と》じると、咲《さき》の目《め》の前《まえ》で引《ひ》き戸《ど》が閉《し》まった。扇《おうぎ》で引《ひ》き戸《ど》をあやつったのだ。

「目《め》ぇ覚《さ》ましい」

晴明《せいめい》は咲《さき》に近《ちか》づいていき、扇《おうぎ》の先《さき》で肩《かた》や背中《せなか》をなでる。

すると、見《み》る見《み》るうちに黒《くろ》いモヤが消《き》えていくではないか。最後《さいご》に咲《さき》の肩《かた》をたたくと、うつろだった咲《さき》の瞳《ひとみ》に輝《かがや》きが戻《もど》ってきた。

ハルヒは瞬《まばた》きするのも忘《わす》れて、その様子《ようす》を見《み》つめていた。

(すごい。この人《ひと》、こんなことできるの？)

この人《ひと》は、本物《ほんもの》の安倍晴明《あべのせいめい》。最強《さいきょう》の陰陽師《おんみょうじ》にまちがいない。

晴明《せいめい》のおかげで正気《しょうき》に戻《もど》った咲《さき》は、「え？　え⁉」とあたりを見《み》まわしている。

「緑川《みどりかわ》さん⁉　ここどこ⁉　この人《ひと》、誰《だれ》⁉」

晴明《せいめい》は、おもしろそうに笑《わら》っている。

「もしかして……安倍晴明《あべのせいめい》⁉」

「さあ、どうやろなぁ。それよりきみら、悪鬼《あっき》を封印《ふういん》したいのやろ？」

ハルヒが真剣《しんけん》な表情《ひょうじょう》でうなずくと、晴明《せいめい》は本殿《ほんでん》のなかの一角《いっかく》に視線《しせん》をむけた。

そこには、御神体《ごしんたい》をまつる立派《りっぱ》な棚《たな》があった。

そのかたわらに、元《もと》の形《かたち》のままの石《いし》がまつられている。四方《しほう》をわら縄《なわ》と紙垂《しで》にかこまれ、おごそかにおかれていた。

本殿《ほんでん》の石《いし》は、晴明《せいめい》の生《い》きていた時代《じだい》からここにあったのだ。

(そんな大事《だいじ》な石《いし》を落《お》として割《わ》るなんて。私《わたし》たち、とりかえしのつかないことをしちゃったんだ)

晴明《せいめい》が石《いし》の上《うえ》に手《て》をのせた。

「この石《いし》は、中川《なかがわ》の水《みず》に百年《ひゃくねん》浸《つ》けて清《きよ》めたもの。これで悪鬼《あっき》を封印《ふういん》しとった」

「あかん」

「じゃあ、元《もと》どおりにつなげればまた……」

晴明《せいめい》はきっぱりと言《い》った。

「形《かたち》をなくしたもんは、もう使《つか》えん」

「そんな……」

ハルヒと咲《さき》は、がっくりとうなだれた。

「ただ」

と、晴明《せいめい》がつづける。

「同《おな》じように清《きよ》めてあるものやったら、可能性《かのうせい》はある」

「清《きよ》めてあるもの？　………でもその石《いし》だって、百年《ひゃくねん》もかけて清《きよ》めたのに、同《おな》じようなものがあるの？」

「いまから私《わたし》が、もうひとつつくる」

こともなげにそう言《い》う晴明《せいめい》の手《て》もとを見《み》ると、いつの間《ま》にかもうひとつの石《いし》を持《も》っていた。まつられている石《いし》と、大《おお》きさも形《かたち》もそっくりの石《いし》だ。

「本殿《ほんでん》にかくしておくから、これを使《つこ》うて。いまから千年後《せんねんご》、ハルヒがこれを見《み》つけるときまでつづくお清《きよ》めを、今日《きょう》ここで私《わたし》がほどこす。きみらの世界《せかい》で誰《だれ》かがこれを壊《こわ》していなければ、悪鬼《あっき》は封印《ふういん》できるはずや」

晴明《せいめい》は扇《おうぎ》を広《ひろ》げてニコニコと笑《わら》う。きっと、ハルヒたちが元《もと》の石《いし》を壊《こわ》してしまったから、皮肉《ひにく》を言《い》っているのだ。笑顔《えがお》がよけいにこわかった。

ハルヒと咲《さき》はしゅんとして、「ごめんなさい」とあやまる。冷《ひ》や汗《あせ》がでた。

それにしても、もし無事《ぶじ》に石《いし》を見《み》つけたとして、どうやって封印《ふういん》したらいいのだろう。

晴明《せいめい》のような強《つよ》い力《ちから》のないハルヒが、化《ば》け物《もの》たちを封《ふう》じることなどできるのだろうか。

「……………あの、あなたが封印《ふういん》してくれないの？」

晴明《せいめい》は少《すこ》し冷《つめ》たい表情《ひょうじょう》を浮《う》かべた。

「申《もう》し訳《わけ》ないけど無理《むり》やなぁ。私《わたし》にはそちらの世界《せかい》に行《い》く力《ちから》はない」

「私《わたし》たちだけでやらなくちゃいけないのか……………」

ハルヒと咲《さき》が、ごくりとつばをのむ。

「きみらにもできるはずや。封印《ふういん》するときはこう唱《とな》える」

晴明《せいめい》の目《め》が、にわかにするどくなった。扇《おうぎ》の先《さき》を石《いし》にむけ、力強《ちからづよ》く言《い》いはなつ。

「悪鬼封印《あっきふういん》、急急如律令《きゅうきゅうにょりつりょう》！」

言《い》いおえると、またさっきまでのおおらかな表情《ひょうじょう》に戻《もど》った。

「どうや。きみらも言《い》うてみ」

ハルヒと咲《さき》は顔《かお》を見《み》あわせてから、同時《どうじ》に言《い》った。

「「悪鬼封印《あっきふういん》、急急如律令《きゅうきゅうにょりつりょう》！」」

「ようできました」

晴明《せいめい》が満足《まんぞく》そうにうなずく。

「おそらく都《みやこ》じゅうの民《たみ》がいなくなったと思《おも》うが、それはやつらの食料《しょくりょう》としてさらわれたんや。いまは一《いっ》か所《しょ》に集《あつ》められとる。食《た》べられるんは、時間《じかん》の問題《もんだい》や」

晴明《せいめい》はふたりの目《め》を交互《こうご》に見《み》つめた。

「きみらにかかってるんよ」

（私《わたし》たちに………）

ハルヒの心臓《しんぞう》が、ドクンドクンと激《はげ》しく鼓動《こどう》しはじめる。責任重大《せきにんじゅうだい》だ。

思《おも》いかえせば、ハルヒたちが家《いえ》をでてからここに来《く》るまで、人間《にんげん》をひとりも見《み》ていない。

家々《いえいえ》は荒《あ》らされ、道《みち》で出会《であ》ったのは人間《にんげん》ではなく化《ば》け物《もの》ばかり。

両親《りょうしん》も、友《とも》だちも、先生《せんせい》たちも、早《はや》く助《たす》けないとあいつらに食《た》べられてしまうだろう。

「ハルヒ、さがしい」

そう言《い》って、晴明《せいめい》が閉《と》じた扇《おうぎ》をハルヒたちにむける。

次《つぎ》の瞬間《しゅんかん》、ハルヒと咲《さき》の体《からだ》に衝撃《しょうげき》が走《はし》った。

「!?」

暗闇《くらやみ》のなかで、体《からだ》がグンと上《うえ》に持《も》ちあげられ、つきおとされる。まるで絶叫《ぜっきょう》マシンにのっているときのようだ。

――――見《み》つけるんや。

遠《とお》くから晴明《せいめい》の声《こえ》がひびいてきて、ふたりはかたい地面《じめん》に放《ほう》りだされた。

体《からだ》が重《おも》い。ふたりはやっとのことで起《お》きあがる。

「あれ、あれ!?」

咲《さき》があたりを見《み》まわす。

そこは、もといた世界《せかい》だった。

巨大《きょだい》なガイコツから逃《に》げて飛《と》びこんだ、神社《じんじゃ》の本殿《ほんでん》のなかだ。

「戻《もど》ってきちゃった!?」

一方《いっぽう》、ハルヒたちを送《おく》りだした晴明《せいめい》は、床《ゆか》になにかが落《お》ちているのに気《き》づいた。

「ほう、なんやろねえ……………」

小《ちい》さな輪《わ》っかに網《あみ》を張《は》り、羽《は》根《ね》飾《かざ》りをつけたものだ。ハルヒが持《も》っていたドリームキャッチャーだった。時《じ》間《かん》移《い》動《どう》をしたときに、ここに落《お》としてしまったのだった。

そして現《げん》代《だい》では。化《ば》け物《もの》を封《ふう》印《いん》することで頭《あたま》がいっぱいだったハルヒは、お守《まも》りを落《お》としたことに気《き》づいていなかった。

最《さい》後《ご》に聞《き》いた晴《せい》明《めい》の声《こえ》が、ありありとよみがえる。

『見《み》つけるんや』

そうだ、あの石《いし》をすぐに見《み》つけなければいけない。

ハルヒは暗《くら》い本《ほん》殿《でん》の奥《おく》を見《み》つめた。御《ご》神《しん》体《たい》をまつる大《おお》きな祭《さい》壇《だん》がある。晴《せい》明《めい》のいた時《じ》代《だい》の本《ほん》殿《でん》とは少《すこ》しつくりがちがうけれど……。

「このなかのどこかに、あるはず！」

ところがそのとき、ガイコツが壊《こわ》した引《ひ》き戸《ど》の外《そと》から、あやしい気《け》配《はい》がただよってきた。

誰《だれ》かがこちらをのぞいている。

〈チノニオイジャ………〉

ハルヒと咲《さき》は、あわてて戸《と》のそばをはなれ、祭壇《さいだん》の大《おお》きな鏡《かがみ》のうしろに身《み》をかくした。

(どうしよう)

鏡《かがみ》の陰《かげ》からそっとのぞくと、鬼《おに》やのっぺらぼう、獣頭《じゅうとう》の妖怪《ようかい》などが、のしのしと本殿《ほんでん》に押《お》しいってきているのが見《み》えた。

(これじゃ外《そと》にでられないよ。このままじゃさがせない。みんなが助《たす》けを待《ま》ってるのに!)

くやしくて涙《なみだ》がこぼれそうになる。

すると、咲《さき》が押《お》しころした声《こえ》でささやいた。

「僕《ぼく》がおとりになってひきつけるから、緑川《みどりかわ》さんはさがして」

「だめだよ、そんなの危険《きけん》すぎる!」

「なに言《い》ってるの。だって僕《ぼく》のせいでもあるだろ。僕《ぼく》も、大久保《おおくぼ》たちをちゃんととめればよかったんだ。緑川《みどりかわ》さんだけのせいじゃない」

「咲《さき》くん……………」

「僕《ぼく》らでちゃんと後始末《あとしまつ》をつけよう」

ふたりは目《め》を合《あ》わせ、力強《ちからづよ》くうなずいた。

咲《さき》は、床《ゆか》に落《お》ちていた板《いた》くずを拾《ひろ》った。壊《こわ》れた引《ひ》き戸《ど》の破片《はへん》だ。それを右手《みぎて》の甲《こう》にぎゅっと押《お》しつける。

「っ……………」

咲《さき》の顔《かお》がゆがんだ。尖《とが》った破片《はへん》が皮膚《ひふ》を切《き》り、じわりと血《ち》がにじむ。

「これで、あいつらをひきつけておくよ。またね、緑川《みどりかわ》さん」

ハルヒの返事《へんじ》も聞《き》かずに、咲《さき》は走《はし》りだした。化《ば》け物《もの》たちは、咲《さき》の血《ち》のにおいを追《お》ってふらふらと外《そと》にでていく。

(咲《さき》くん、たのんだよ!)

ハルヒはぐっと奥歯《おくば》をかみしめ、気合《きあ》いを入《い》れなおした。

祭壇《さいだん》にかけ寄《よ》り、あちこちをさがしまわる。

(どこ?　どこにあるの!?)

供物《くもつ》のおかれた三方《さんぼう》のなか、祝詞《のりと》の入《はい》った箱《はこ》、鏡《かがみ》のある台座《だいざ》の下《した》。

さがすうちに、神聖《しんせい》な祭壇《さいだん》が、ぐちゃぐちゃにちらかっていった。本当《ほんとう》はやってはいけないことだ。祟《たた》られてもおかしくない。

でも、化《ば》け物《もの》を封印《ふういん》してみんなを助《たす》けられるなら、自分《じぶん》が祟《たた》られるくらい安《やす》いものだ。

（ない……ないよ……まさか誰《だれ》かにすでに見《み》つけられて、壊《こわ》されたとか？）

どこをさがしても見《み》つからなかった。

こうしている間《あいだ》にも、両親《りょうしん》や友《とも》だちは化《ば》け物《もの》に食《た》べられているかもしれない。

おとりになった咲《さき》が、化《ば》け物《もの》につかまってしまったかもしれない。

ハルヒはぺたんと床《ゆか》に座《すわ》りこんだ。

絶望《ぜつぼう》で涙《なみだ》がでそうになった、そのとき。

フワ……………。

見覚《みおぼ》えのある光《ひかり》が、空中《くうちゅう》に現《あらわ》れた。光《ひかり》の玉《たま》――晴明《せいめい》の魂《たましい》だ。

光《ひかり》の玉《たま》は、拓馬《たくま》が割《わ》ってしまった石《いし》のかけらの上《うえ》で、ぴたりととまる。

「でも、その石《いし》はもう使《つか》えないんでしょ？」

玉《たま》はかけらの上《うえ》にまだとどまっていた。

「晴明《せいめい》さん、使《つか》えないって自分《じぶん》で言《い》ったじゃ――」

ハルヒは言葉《ことば》を切《き》り、石《いし》のちらばった床《ゆか》をよく見《み》た。床板《ゆかいた》のすきまから、淡《あわ》い光《ひかり》がもれでている。かけ寄《よ》って床板《ゆかいた》をさわってみた。

「なにかある。この下《した》に！」

床板《ゆかいた》をたたき割《わ》るには道具《どうぐ》が必要《ひつよう》だ。ハルヒは外《そと》にでて、道具《どうぐ》をさがした。

「物置《ものおき》どこだろう。わからない…………」

ふと本殿《ほんでん》の縁《えん》の下《した》を見《み》ると、金属《きんぞく》のバールが落《お》ちている。ハルヒはそれをとりあげると、本殿《ほんでん》のなかに戻《もど》って、思《おも》いきり床《ゆか》に振《ふ》りおろした。

床板《ゆかいた》が割《わ》れる。その下《した》におかれていたものは――。

「どうしてこれが……」

チハルがつくった、お守《まも》りのドリームキャッチャーだった。

そっとつまみあげると、それは光《ひかり》の玉《たま》と同《おな》じくらいの明《あか》るさで、まぶしく輝《かがや》きだした。

「私《わたし》、あのとき、晴明《せいめい》さんのところに落《お》としていったんだ」

ハルヒの落《お》としたドリームキャッチャーは、あのとき、晴明《せいめい》が拾《ひろ》いあげていた。

「異教徒《いきょうと》のもんか……お守《まも》りやろか」

ふしぎな品《しな》をまじまじとながめていた晴明《せいめい》は、あることに気《き》づいた。

「ふむ……この石《いし》より使《つか》えそうや」

この異教徒《いきょうと》のお守《まも》りのようなもののほうが、かわりに用意《ようい》した石《いし》よりも、はるかに力《ちから》が強《つよ》い。つくった者《もの》の思《おも》いが、強力《きょうりょく》にこめられているからだろう。

「依《よ》り代《しろ》を変《か》えても、きっとあの子《こ》は気《き》づくやろ」

そうして晴明《せいめい》は、石《いし》のかわりに、千年後《せんねんご》の未来《みらい》から来《き》たドリームキャッチャーに清《きよ》めの儀式《ぎしき》をほどこし、本殿《ほんでん》にかくしたのだった。

ハルヒはドリームキャッチャーを床《ゆか》においた。

晴明《せいめい》が持《も》っていたような扇《おうぎ》はないから、かわりに片方《かたほう》の手《て》の人《ひと》さし指《ゆび》と中指《なかゆび》をそろえて、まっすぐ前《まえ》にだす。

「悪鬼封印《あっきふういん》、急急如律令《きゅうきゅうにょりつりょう》！」

唱《とな》えた瞬間《しゅんかん》、ドリームキャッチャーのまわりに、五芒星《ごぼうせい》のような紋《もん》が浮《う》かんだ。

本殿《ほんでん》の外《そと》で、ざわざわと木々《きぎ》のゆれる音《おと》がする。

やがて、黒《くろ》いモヤが次々《つぎつぎ》と本殿《ほんでん》のなかにすべりこんできた。

モヤは、ドリームキャッチャーにむかってすすみ、そのなかにどんどんすいこまれていく。

「すごい………吸収《きゅうしゅう》してる………」

しかし、長《なが》くはつづかなかった。

輪《わ》っかに張《は》られた網《あみ》が、ブチブチと切《き》れはじめたのだ。

「うそ⁉」

化《ば》け物《もの》の力《ちから》に負《ま》けてしまったらしい。

すぐにモヤの逆流《ぎゃくりゅう》がはじまった。一度《いちど》は吸収《きゅうしゅう》された黒《くろ》いモヤが、ドリームキャッチャーから噴出《ふんしゅつ》している、本殿《ほんでん》がモヤでいっぱいになっていく。

「どうしてよ………千年《せんねん》も清《きよ》めてあるのに、それでもだめなの⁉」

黒《くろ》いモヤはハルヒの体《からだ》にもまとわりついてきた。手《て》を振《ふ》りまわして、必死《ひっし》に追《お》いはらう。

「やめて！　どっか行《い》ってよ！　消《き》えて！」

とうとうドリームキャッチャーはボロボロに壊《こわ》れ、モヤに作用《さよう》しなくなってしまった。

失敗《しっぱい》だ。封印《ふういん》の道具《どうぐ》が壊《こわ》れてしまったいま、もうハルヒにできることはない。

「………むりだよ。できない。私《わたし》には」

そう口《くち》にしたとたん、恐怖《きょうふ》が一気《いっき》に押《お》し寄《よ》せてきた。

悪《わる》いことばかりが頭《あたま》をかけめぐる。

パパとママがすでに死《し》んでいたらどうしよう。

チハル兄《にい》があのまま目《め》を覚《さ》まさなかったら。

咲《さき》くんや良乃《よしの》たちが化《ば》け物《もの》に殺《ころ》されていたら。

どうしよう、どうしよう、どうしよう。

「やっぱり私《わたし》にはむりだったんだ。どうしよう、みんな死《し》んじゃう」

こわい。こわいよ――――。

「こわいよ!!」

目《め》に涙《なみだ》を浮《う》かべて、ハルヒは叫《さけ》んだ。

すると、どこからともなく声《こえ》が聞《き》こえてくる。

――大丈夫《だいじょうぶ》だよ、ハルヒ。きみならできる。

「……チハル兄《にい》？」

振《ふ》りかえると、病院《びょういん》で眠《ねむ》っているはずのチハルが立《た》っていた。ケガもしていないし、服《ふく》はきれいなままだ。きっとこれは、本物《ほんもの》のチハルじゃない。幻《まぼろし》か……生霊《いきりょう》。

チハルはやさしく微笑《ほほえ》み、ハルヒの手《て》にふれた。

手《て》の温《あたた》かさが伝《つた》わってくる。それとともに、ハルヒの心《こころ》に勇気《ゆうき》が舞《ま》いもどってきた。

「わかった。やってみるよ」

ハルヒは、ボロボロになったドリームキャッチャーを両手《りょうて》で高《たか》くかかげ、力《ちから》いっぱいに唱《とな》えた。

悪鬼《あっき》封印《ふういん》、急急如律令《きゅうきゅうにょりつりょう》！

急《きゅう》急《きゅう》如《にょ》律《りつ》令《りょう》

ドリームキャッチャーから、まばゆい光《ひかり》が放《はな》たれた。

光《ひかり》は本殿《ほんでん》に広《ひろ》がり、神社《じんじゃ》の境内《けいだい》に広《ひろ》がり、さらに町全体《まちぜんたい》をつつみこんでいく。

ハルヒは強烈《きょうれつ》な光《ひかり》のなかで、いつの間《ま》にか意識《いしき》を失《うしな》っていた。


チチチチと小鳥《ことり》の鳴《な》く声《こえ》がしている。

目《め》を覚《さ》ましたハルヒは、自分《じぶん》が本殿《ほんでん》の床《ゆか》に横《よこ》たわっていることに気《き》づいた。

どのくらい時間《じかん》がたったのだろう。開《あ》いた引《ひ》き戸《ど》から見《み》える外《そと》は、明《あか》るく晴《は》れていた。

ふいに人影《ひとかげ》が落《お》ちてきて、がばっと体《からだ》を起《お》こす。

(また鬼《おに》!?)

しかし、入《はい》ってきたのは化《ば》け物《もの》ではなく、はかま姿《すがた》の神社職員《じんじゃしょくいん》だ。

「なにしてるの、きみぃ。こんな朝早《あさはや》くに、勝手《かって》に入《はい》っててぇ」

「えっと……………」

まだぼんやりしている頭《あたま》を、ふるふると振《ふ》る。よろけながら立《た》ちあがると、人々《ひとびと》の足音《あしおと》が聞《き》こえてきた。

ハルヒと職員《しょくいん》は、本殿《ほんでん》の外《そと》にでておどろいた。

老若男女《ろうにゃくなんにょ》、大勢《おおぜい》の人間《にんげん》が、着《き》の身着《みき》のままぞろぞろと歩《ある》いているではないか。

「山《やま》のなかで寝《ね》ちゃうなんて、私《わたし》、なにしてたのかしら、本当《ほんとう》……」

「僕《ぼく》もまったく思《おも》いだせないんだよ」

口々《くちぐち》にそんなことを言《い》っていた。化《ば》け物《もの》にさらわれていた人々《ひとびと》が、みんな目《め》を覚《さ》ましたのだ。ということは、つまり。

「封印《ふういん》、成功《せいこう》したんだ‼」

そうときまれば、ここでぼんやりしてはいられなかった。ハルヒはわき目《め》もふらずに走《はし》りだす。

「あ、きみぃ！」

「すみません、急《いそ》いでるんですっ！」

一秒《びょう》でも早《はや》く、入院《にゅういん》しているチハルに会《あ》いに行《い》きたかったのだ。

そのころチハルは、病院《びょういん》のベッドで眠《ねむ》っていた。

口《くち》には酸素《さんそ》マスクがつけられ、ベッドの横《よこ》におかれたモニターが、ピッ、ピッ、と一定《いってい》にリズムを刻《きざ》んでいる。

チハルは夢《ゆめ》を見《み》ていた。

ひらひらと桜《さくら》の花《はな》びらが舞《ま》いとぶ明《あか》るい空間《くうかん》に、チハルは立《た》っていた。

目《め》の前《まえ》には、狩衣《かりぎぬ》と立烏帽子《たてえぼし》を身《み》につけた美《うつく》しい男《おとこ》がいて、チハルに笑《わら》いかけている。

「ありがとうな。きみが私《わたし》を呼《よ》んでくれたおかげやね」

彼《かれ》が本物《ほんもの》の安倍晴明《あべのせいめい》だということは、すぐにわかった。

チハルがウィジャボードを使《つか》って交信《こうしん》していた相手《あいて》だ。まちがうはずがない。

「ほな、もう失礼《しつれい》するわ。力《ちから》を使《つか》い果《は》たしてしもうたから、ここには長《なが》くとどまれん」

「あのっ」

チハルは、立《た》ち去《さ》ろうとする晴明《せいめい》を呼《よ》びとめる。

「ハルヒはどうしたらいいんですか。あいつの霊感《れいかん》は、年《とし》を追《お》うごとにどんどん強《つよ》くなってる…………俺《おれ》の知識《ちしき》だけじゃ、もう守《まも》りきれないかもしれない」

晴明《せいめい》は、ゆっくりと振《ふ》りむいた。

「それをあなたに聞《き》きたかった。だから交信《こうしん》したんです」

すると晴明《せいめい》は、やれやれとでも言《い》いたげな笑《え》みを浮《う》かべる。

「あの子《こ》にはきみがおる」

「俺《おれ》が…………？」

「そうや。いつか大《おお》きな試練《しれん》がやってきたとき、きみが支《ささ》えになったげたらええ。大丈夫《だいじょうぶ》」

晴明《せいめい》はそう言《い》いのこして、桜《さくら》の花《はな》びら舞《ま》うもと、明《あか》るい光《ひかり》のなかへ消《き》えていった。

チハルが意識《いしき》をとりもどしたのは、ハルヒが病室《びょうしつ》に到着《とうちゃく》して間《ま》もなくのことだった。

「ハルヒ…………？」

おもむろにまぶたを開《ひら》いたチハルが、名前《なまえ》を呼《よ》ぶ。

「チハル兄《にい》！」

そう叫《さけ》んだ瞬間《しゅんかん》、いままで我慢《がまん》してきた涙《なみだ》が、一気《いっき》にあふれだした。

一時《いっとき》は少《すこ》しだけ気持《きも》ちがすれちがってしまったけれど、チハルはいつも味方《みかた》でいてくれた。いまはそれがよくわかる。

「ありがとう、チハル兄《にい》」

ハルヒは、大粒《おおつぶ》の涙《なみだ》を流《なが》しながらベッドにつっぷす。

その頭《あたま》を、チハルは大《おお》きな手《て》で、いつまでもいつまでもやさしくなでるのだった。


それから数日後《すうじつご》。

あの神社《じんじゃ》の本殿《ほんでん》に、神職《しんしょく》の装束《しょうぞく》を着《き》た男《おとこ》が訪《おとず》れていた。

背《せ》が高《たか》く、クールなたたずまいの男《おとこ》だ。

位《くらい》の高《たか》い神職《しんしょく》が使《つか》う黒《くろ》い袍《ほう》と冠《かんむり》を身《み》につけているが、年齢《ねんれい》はとても若《わか》そうだった。高《こう》校生《せい》ぐらいに見《み》える。

「わざわざ来《き》てもらって申《もう》し訳《わけ》ないです」

と、神社《じんじゃ》の宮司《ぐうじ》が、うやうやしくお辞儀《じぎ》をする。

「いえ、仕事《しごと》ですから」

若《わか》い男《おとこ》は淡々《たんたん》とこたえた。

男《おとこ》と宮司《ぐうじ》の前《まえ》には、わら縄《なわ》と紙垂《しで》でかこまれた石《いし》がまつられている。

「以前《いぜん》あった石《いし》は、近所《きんじょ》の子《こ》どもが割《わ》ってしまってね。こちらが新《あたら》しい石《いし》です」

なんでも、この石《いし》を清《きよ》めるには、特別《とくべつ》に強《つよ》い力《ちから》をこめなければいけないため、腕《うで》ききの霊媒師《れいばいし》である彼《かれ》を呼《よ》ぶことになったそうだ。

「先日《せんじつ》の晩《ばん》、このあたりの人《ひと》たちが大勢《おおぜい》、意識《いしき》を失《うしな》ってしまったことがありましてね。いまはもうみなさん元《もと》に戻《もど》りましたが、二度《にど》とあんなことを起《お》こしたくないんです」

宮司《ぐうじ》はふたたびお辞儀《じぎ》をした。

「ひとつよろしくお願《ねが》いします」

清《きよ》めの儀式《ぎしき》はとどこおりなく終《お》わった。

帰《かえ》り支度《じたく》をはじめた男《おとこ》が、ふと祭壇《さいだん》の脚《あし》もとに視線《しせん》を落《お》とす。

そこに奇妙《きみょう》なものが落《お》ちているのを見《み》つけ、思《おも》わず拾《ひろ》いあげた。

「…………これは？」

ドリームキャッチャーの残骸《ざんがい》だ。網《あみ》は切《き》れ、羽根飾《はねかざ》りもなくなり、無惨《むざん》な姿《すがた》だった。

「ああ、誰《だれ》かの落《お》とし物《もの》でしょう。あとで処分《しょぶん》しておきますよ」

「いや、私《わたし》が処分《しょぶん》しておきましょう」

男《おとこ》は、輪《わ》っかの部分《ぶぶん》をつまんで光《ひかり》にかざし、ふふ、と意味《いみ》ありげな笑《え》みを浮《う》かべた。


仕事《しごと》を終《お》えた男《おとこ》は、神社《じんじゃ》をあとにした。

きゅうくつな冠《かんむり》を脱《ぬ》ぐと、くせのない髪《かみ》がサラッと目《め》もとにかかる。

彼《かれ》の名前《なまえ》は、秋元楽《あきもとらく》。

高校《こうこう》二年生《ねんせい》だが、立派《りっぱ》な霊媒師《れいばいし》だ。

心霊《しんれい》にかかわる事件《じけん》があると、今回《こんかい》のように仕事《しごと》を依頼《いらい》され、出向《でむ》いていく。

そんなときはいつも、ある女性《じょせい》といっしょに行動《こうどう》していた。

「お疲《つか》れさま〜。楽《らく》にしては、ずいぶん簡単《かんたん》な仕事《しごと》だったんじゃない？」

うしろをついてきた女性《じょせい》が言《い》った。

今日《きょう》はスーツを着《き》てファイルを抱《かか》え、楽《らく》の秘書《ひしょ》を演《えん》じている。

「あんたも悪《あく》シュミねぇ」

やさしい瞳《ひとみ》をした彼女《かのじょ》は、人間《にんげん》の姿《すがた》をしているが、中身《なかみ》はとある神《かみ》さまだ。

霊力《れいりょく》は強《つよ》いけれど少々《しょうしょう》わがままで、よく楽《らく》を振《ふ》りまわしていた。

「鬼《おに》たちはそれに封印《ふういん》されてるって、わかってるのにもらうんだから」

本殿《ほんでん》の床《ゆか》に落《お》ちていたドリームキャッチャーのことだ。

神社《じんじゃ》の宮司《ぐうじ》は、新《あたら》しくまつった石《いし》が悪鬼《あっき》を封印《ふういん》していると思《おも》いこんでいるようだが、
そうではない。

鬼《おに》やら妖怪《ようかい》やら、大量《たいりょう》の化《ば》け物《もの》を封印《ふういん》しているのは、このドリームキャッチャーだった。

「そんなもの、本当《ほんとう》にもらうつもり？」

「ああ。いいおもちゃになりそうだからな」

ちょうどそのとき、道《みち》のむこうから歩《ある》いてきたひとりの少女《しょうじょ》――緑川《みどりかわ》ハルヒとすれちがった。

楽《らく》は足《あし》をとめ、ハルヒを目《め》で追《お》う。

その姿《すがた》に、見覚《みおぼ》えがあった。ずっと昔《むかし》に会《あ》ったことがある。

しかし、ハルヒのほうは楽《らく》と会《あ》った記憶《きおく》がない。見知《みし》らぬ楽《らく》のことは気《き》にもとめず、

まっすぐに神社《じんじゃ》にむかっていった。

「どうしたの、楽《らく》」

と、女性《じょせい》が振《ふ》りかえって、通《とお》りすぎていったハルヒを見《み》やる。

「別《べつ》に」

楽《らく》はぶっきらぼうにこたえ、ふたたび歩《ある》きだした。


ハルヒはこわばった表情《ひょうじょう》で神社《じんじゃ》にむかっていた。

昼休《ひるやす》みに、咲《さき》に言《い》われたのだった。

「話《はなし》があるから、今日《きょう》の放課後《ほうかご》、あの神社《じんじゃ》の入《い》り口《ぐち》に来《き》てくれる?」

話《はなし》の内容《ないよう》はだいたい予想《よそう》がつくから、よけいにドキドキする。

鳥居《とりい》の近《ちか》くで待《ま》っていた咲《さき》も、ハルヒ以上《いじょう》に緊張《きんちょう》しているようだった。

ハルヒが到着《とうちゃく》すると、前《まえ》おきもなくいきなり切《き》りだした。

「好《す》きなんだ、緑川《みどりかわ》さんのこと。それで………」

予想《よそう》どおりの展開《てんかい》。ハルヒは頬《ほお》をそめて、静《しず》かに耳《みみ》をかたむける。

咲《さき》はまっすぐにハルヒを見《み》つめ、時々口《ときどきくち》ごもりながらつづけた。

「今回《こんかい》のことで再確認《さいかくにん》したっていうか、えと……だから……」

そこで深呼吸《しんこきゅう》をすると、ひと息《いき》に言《い》った。

「僕《ぼく》とつきあってくださいっ！」

ハルヒは口《くち》を結《むす》んで「うーん」と考《かんが》えこみ、やがて拝《おが》むように両手《りょうて》を合《あ》わせる。

「ごめんっ！」

「えーっ！」

咲《さき》はショックで涙目《なみだめ》になっている。

でもハルヒとしては、自分《じぶん》の気持《きも》ちにうそをついたり、思《おも》わせぶりな態度《たいど》をとったりするのはいやだった。

咲《さき》のことは嫌《きら》いじゃないけれど、いまは恋愛《れんあい》の〝好《す》き〟にはなれない。

「やっぱそういうの、よくわかんないっていうか……え——と」

ハルヒはにっこり笑《わら》って、右手《みぎて》を差《さ》しだした。

「友《とも》だちからじゃ、だめかなっ」

「緑川《みどりかわ》さぁん」

咲《さき》はさらに涙《なみだ》をためて笑顔《えがお》で、ハルヒと握手《あくしゅ》をした。

すると、うしろのほうから、誰《だれ》かの呼《よ》ぶ声《こえ》がする。

「ハルヒ」

振《ふ》りかえると、道《みち》に停《と》まったタクシーの横《よこ》で、チハルが手《て》を振《ふ》っている。包帯《ほうたい》を巻《ま》いた脚《あし》と松葉《まつば》づえが痛々《いたいた》しかったが、その他《ほか》の傷《きず》はほぼ治《なお》っている。

「チハル兄《にい》！　退院《たいいん》、夕方《ゆうがた》じゃなかったの？」

ハルヒたちがかけ寄《よ》っていく。チハルは妹《いもうと》といっしょにいる男子《だんし》——咲《さき》に気《き》づいたようだ。

「こんにちは」

「こ、こんにちはっ。初《はじ》めまして。なっ、長瀬咲《ながせさき》ですっ」

好《す》きな人《ひと》のお兄《にい》さんに初《はじ》めて会《あ》い、咲《さき》の声《こえ》はうわずった。

するとチハルは、わざとらしくハルヒの頭《あたま》をなでる。

「お兄《にい》ちゃんに早《はや》く会《あ》いたいだろうと思《おも》って、早《はや》く退院《たいいん》させてもらったんだよ」

「ちょ、ちょっと！　子《こ》ども扱《あつか》いやめてよ～っ！」

ハルヒは顔《かお》を真《ま》っ赤《か》にしてふてくされた。

「はずかしいでしょっ！」

「それに、早《はや》く帰《かえ》って新《あたら》しいお守《まも》りもつくりたいからね。長瀬《ながせ》くんもいっしょにタクシーにのっていくといいよ」

「えっ、ごいっしょしていいんですか！」

三人《にん》は、春《はる》の明《あか》るい陽射《ひざ》しのなかで笑《わら》いあった。

もう二度《にど》と、化《ば》け物《もの》たちが解《と》きはなたれることはない。

平和《へいわ》がおとずれたこの町《まち》で、ハルヒたちはこれからも、おだやかな日々《ひび》をすごしていくことだろう。

ハルヒは晴《は》れ晴《ば》れとした気分《きぶん》で言《い》った。

「じゃあ帰《かえ》ろう、家《いえ》に！」

エピローグ

百四十二時間目《ひゃくよんじゅうにじかんめ》の授業《じゅぎょう》はいかかでしたか？
立《た》ち入《い》り禁止《きんし》の場所《ばしょ》に入《はい》り、石《いし》を壊《こわ》してしまった子《こ》どもたち。
それは、悪鬼《あっき》を封印《ふういん》していた大切《たいせつ》な石《いし》でした。
封印《ふういん》が解《と》かれた町《まち》は、化《ば》け物《もの》たちのパラダイスに。
妖怪《ようかい》たちの大行列《だいぎょうれつ》「百鬼夜行《ひゃっきやこう》」まではじまってしまいました。
悪鬼《あっき》たちも、ひさしぶりに解放《かいほう》されて、うれしかったのかもしれませんね。
とはいえ、悪鬼《あっき》は人間《にんげん》に悪《わる》さをします。
おとなしくしていてもらったほうがいいのです。
ふたたび封印《ふういん》するには、ふしぎな力《ちから》をもった人《ひと》たちにお願《ねが》いするしかありません。
たとえば、今回《こんかい》の主人公《しゅじんこう》・緑川《みどりかわ》ハルヒとチハル。

絶叫学級《ぜっきょうがっきゅう》ではおなじみの高校生霊媒師《こうこうせいれいばいし》・秋元楽《あきもとらく》。
それから、最強《さいきょう》の陰陽師《おんみょうじ》・安倍晴明《あべのせいめい》………。
そういう人《ひと》がまわりにいないなら、立《た》ち入《い》り禁止《きんし》をやぶってはだめですよ。
悪鬼《あっき》に世界《せかい》をのっとられてしまいます。
みなさんも気《き》をつけてくださいね。
〝立《た》ち入《い》り禁止《きんし》〟には、ちゃんと理由《りゆう》があるのです。
それでは、次回《じかい》の絶叫学級《ぜっきょうがっきゅう》でお目《め》にかかりましょう！

この作品は、集英社よりコミックスとして刊行された『絶叫学級 転生』10、18、20巻をもとに、ノベライズしたものです。

集英社みらい文庫

絶叫学級《ぜっきょうがっきゅう》
檻《おり》のなかの怨念《おんねん》 編《へん》

いしかわえみ　原作・絵
はのまきみ　著

ファンレターのあて先
〒101-8050　東京都千代田区一ツ橋 2-5-10　集英社みらい文庫編集部
いただいたお便りは編集部から先生におわたしいたします。

2024 年 6 月 26 日　第 1 刷発行

発 行 者　今井孝昭
発 行 所　株式会社 集英社
〒101-8050　東京都千代田区一ツ橋 2-5-10
電話　編集部 03-3230-6246
読者係 03-3230-6080
販売部 03-3230-6393（書店専用）
https://miraibunko.jp
装　　丁　平松はるか・直井美那（クリエイションハウス）
中島由佳理
印　　刷　TOPPAN 株式会社
製　　本　TOPPAN 株式会社

★この作品はフィクションです。実在の人物・団体・事件などにはいっさい関係ありません。

ISBN978-4-08-321854-5　C8293　N.D.C.913　204P　18cm

「りぼん」連載《れんさい》の
人気《にんき》ホラー・コミックの
ノベライズ!!

いしかわえみ・原作/絵

はのまきみ（25より）
桑野和明《くわのかずあき》（24まで）・著

37 しのびよる毒親《どくおや》編《へん》

真夜中《まよなか》に立《た》ち聞《ぎ》きした家族《かぞく》たちの会話《かいわ》で自分《じぶん》が処分《しょぶん》されると知《し》る「家族会議《かぞくかいぎ》」ほか3話《わ》を収録《しゅうろく》！

38 黄泉《よみ》に眠《ねむ》る記憶《きおく》編《へん》

黄泉《よみ》の誕生《たんじょう》に深《ふか》く関《かか》わる秋元優美《あきもとゆみ》の死《し》。その真相《しんそう》が明《あ》かされる「黄泉《よみ》の追想《ついそう》」ほか4話《わ》を収録《しゅうろく》！

最新刊《さいしんかん》

39 檻《おり》のなかの怨念《おんねん》編《へん》

人《エサ》を求《もと》めて歩《ある》く妖怪《ようかい》たちを緑川《みどりかわ》ハルヒが封印《ふういん》する「夜行《やぎょう》の封印《ふういん》」（前《ぜん》・中《ちゅう》・後編《こうへん》）ほか3話《わ》を収録《しゅうろく》！

既刊案内《きかんあんない》

1 禁断《きんだん》の遊《あそ》び 編《へん》
2 暗闇《くらやみ》にひそむ大人《おとな》たち 編《へん》
3 くずれゆく友情《ゆうじょう》 編《へん》
4 ゆがんだ願《ねが》い 編《へん》
5 ニセモノの親切《しんせつ》 編《へん》
6 プレゼントの甘《あま》いワナ 編《へん》
7 いつわりの自分《じぶん》 編《へん》
8 ルール違反《いはん》の罪《つみ》と罰《ばつ》 編《へん》
9 終《お》わりのない欲望《よくぼう》 編《へん》
10 悪夢《あくむ》の花園《はなぞの》 編《へん》
11 いじめの結末《けつまつ》 編《へん》
12 家族《かぞく》のうらぎり 編《へん》
13 不幸《ふこう》を呼《よ》ぶ親友《しんゆう》 編《へん》
14 死《し》を招《まね》く都市伝説《としでんせつ》 編《へん》
15 呪《のろ》われた初恋《はつこい》 編《へん》
16 満《み》たされないココロ 編《へん》
17 笑顔《えがお》の裏《うら》の本音《ほんね》 編《へん》
18 ナイモノねだりの報《むく》い 編《へん》
19 人気者《にんきもの》の正体《しょうたい》 編《へん》
20 いびつな恋愛《れんあい》 編《へん》
21 つきまとう黒《くろ》い影《かげ》 編《へん》
22 悪意《あくい》にまみれた友《とも》だち 編《へん》
23 災《わざわ》いを生《う》むウワサ 編《へん》
24 悪魔《あくま》のいる教室《きょうしつ》 編《へん》
25 むきだしの願望《がんぼう》 編《へん》
26 還《かえ》り道《みち》のない旅《たび》 編《へん》
27 黄泉《よみ》の誕生《たんじょう》 編《へん》
28 むしばまれた家《いえ》 編《へん》
29 繰《く》りかえすコドモタチ 編《へん》
30 見《み》えない侵入者《しんにゅうしゃ》 編《へん》
31 赤《あか》い断末魔《だんまつま》 編《へん》
32 コンプレックスの奴隷《どれい》 編《へん》
33 ウワサ話《ばなし》の黒幕《くろまく》 編《へん》
34 報復《ほうふく》ゲームのはじまり 編《へん》
35 パーティーのいけにえ 編《へん》
36 恋人《こいびと》たちの化《ば》けの皮《かわ》 編《へん》
37 しのびよる毒親《どくおや》 編《へん》
38 黄泉《よみ》に眠《ねむ》る記憶《きおく》 編《へん》
39 檻《おり》のなかの怨念《おんねん》 編《へん》

ノベライズ

シリーズ累計《るいけい》
123万《まん》部《ぶ》突破《とっぱ》!!

絶叫学級《ぜっきょうがっきゅう》

1 禁断《きんだん》の遊《あそ》び編《へん》

恐怖《きょうふ》の授業《じゅぎょう》のはじまり。黒《くろ》くて不思議《ふしぎ》な携帯《けいたい》ゲーム機《き》にまつわる「悪魔《あくま》のゲーム」ほか4話《わ》を収録《しゅうろく》！

15 呪《のろ》われた初恋《はつこい》編《へん》

冷《つめ》たい態度《たいど》の恋人《こいびと》とバレンタインで絆《きずな》を深《ふか》めようとする「ブラッディ・バレンタイン」ほか4話《わ》を収録《しゅうろく》！

30 見《み》えない侵入者《しんにゅうしゃ》編《へん》

再生回数《さいせいかいすう》をかせぐため動画投稿《どうがとうこう》サイトに自撮《じど》り映像《えいぞう》をアップする「みえざる視線《しせん》」ほか4話《わ》を収録《しゅうろく》！

「みらい文庫《ぶんこ》」読者《どくしゃ》のみなさんへ

言葉《ことば》を学《まな》ぶ、感性《かんせい》を磨《みが》く、創造力《そうぞうりょく》を育《はぐく》む……、読書《どくしょ》は「人間力《にんげんりょく》」を高《たか》めるために欠《か》かせません。たった一枚《いちまい》のページをめくる向《む》こう側《がわ》に、未知《みち》の世界《せかい》、ドキドキのみらいが無限《むげん》に広《ひろ》がっている。これこそが「本《ほん》」だけが持《も》っているパワーです。

学校《がっこう》の朝《あさ》の読書《どくしょ》に、休《やす》み時間《じかん》に、放課後《ほうかご》に……。いつでも、どこでも、すぐに続《つづ》きを読《よ》みたくなるような、魅力《みりょく》に溢《あふ》れる本《ほん》をたくさん揃《そろ》えていきたい。読書《どくしょ》がくれる、心《こころ》がきらきらしたり胸《むね》がきゅんとする瞬間《しゅんかん》を体験《たいけん》してほしい、楽《たの》しんでほしい。みらいの日本《にほん》、そして世界《せかい》を担《にな》うみなさんが、やがて大人《おとな》になった時《とき》、「読書《どくしょ》の魅力《みりょく》を初《はじ》めて知《し》った本《ほん》」「自分《じぶん》のおこづかいで初《はじ》めて買《か》った一冊《いっさつ》」と思《おも》い出《だ》してくれるような作品《さくひん》を一所懸命《いっしょけんめい》、大切《たいせつ》に創《つく》っていきたい。

そんないっぱいの想《おも》いを込《こ》めながら、作家《さっか》の先生方《せんせいがた》と一緒《いっしょ》に、私《わたし》たちは素敵《すてき》な本作《ほんづく》りを続《つづ》けていきます。「みらい文庫《ぶんこ》」は、無限《むげん》の宇宙《うちゅう》に浮《う》かぶ星《ほし》のように、夢《ゆめ》をたたえ輝《かがや》きながら、次々《つぎつぎ》と新《あたら》しく生《う》まれ続《つづ》けます。

本《ほん》を持《も》つ、その手《て》の中《なか》に、ドキドキするみらい――。

本《ほん》の宇宙《うちゅう》から、自分《じぶん》だけの健《すこ》やかな空想力《くうそうりょく》を育《そだ》て、“みらいの星《ほし》”をたくさん見《み》つけてください。

そして、大切《たいせつ》なこと、大切《たいせつ》な人《ひと》をきちんと守《まも》る、強《つよ》くて、やさしい大人《おとな》になってくれることを心《こころ》から願《ねが》っています。

2011年《ねん》　春《はる》

集英社《しゅうえいしゃ》みらい文庫《ぶんこ》編集部《へんしゅうぶ》